Swift, Jonath...

Klugheits-Regeln für Befehlende und Dienende

Swift, Jonathan

Klugheits-Regeln für Befehlende und Dienende

Inktank publishing, 2018

www.inktank-publishing.com

ISBN/EAN: 9783750118348

Swift's
Klugheits-Regeln
für
Befehlende und Dienende.

Enthaltend

1) Unterricht für's Gesinde.

2) Von der guten Lebensart oder den feinen Sitten.

Aus dem Englischen.

Zeitz,
bey Wilhelm Webel. 1800.

Verhaltungsregeln für das Gesinde überhaupt.

Wenn euer Herr oder eure Frau einen Bedienten beim Namen ruft, und derselbe ist nicht zugegen, so darf keiner von den andern antworten, denn sonst würdet ihr den ganzen Tag nicht ein einzigesmal ausruhen können. Die Herrschaften sind zufrieden, wenn der Bediente nur dann kommt, wenn er gerufen worden ist.

Wenn ihr einen Fehler begangen habt, so seid nur allezeit recht grob und unverschämt, und betragt euch so, als wenn ihr der beleidigte Theil wäret, und dadurch werdet ihr eure Herrschaft sogleich wieder besänftigen.

Sehet ihr etwa, daß einer eurer Mitbedienten seinem Herrn irgend einen Schaden zufügt, so verrathet solches bei Leibe nicht, denn man würde euch sonst einen Blaustrumpf und dergleichen nennen. Steht aber ein Bedienter bei der Herrschaft ganz besonders gut,

A so

so muß man hier eine Ausnahme machen, denn ein solcher wird mit allem Fug und Recht von dem ganzen übrigen Gesinde gehasset und verfolget. Ihr müsset euch demnach bemühen, einem solchen Günstling alle mögliche Fehler aufzubürden. Der Koch, der Kellner, der Stallknecht, und jeder andre Bediente, der die Ausgaben des Hauswesens zu besorgen hat, muß alles so einzurichten suchen, als wenn das ganze Vermögen seines Herrn blos zu seiner Verrichtung allein verwendet werden müßte. Zum Beispiel, wenn der Koch berechnen kann, und seines Herrn Einkünfte sich jährlich auf sechstausend Thaler belaufen, so schließet er ganz vernünftiger Weise daraus, daß jährlich für sechstausend Thaler Essen angeschaft werden kann, und daß er daher gar nicht nöthig hat zu sparen. Der Kellner macht eben den Schluß, und dieses kann auch der Stallknecht und der Kutscher thun. Auf diese Weise kann jede Art von Ausgabe zu eurer Herrschaft Ehre eingerichtet werden.

Wenn man euch in Gegenwart fremder Personen einen Verweis giebt, (welches aber, mit Erlaubniß eurer Herren und Frauen, etwas sehr Unartiges und Unschickliches ist) so geschieht es bisweilen, daß ein Fremder ein Wort zu eurer Entschuldigung sagt; in diesem Falle habt ihr nun ein vollkommenes Recht euch zu rechtfertigen, und könnet sicher daraus schließen, daß, wenn euch eure Herrschaft nachher bei einer andern Gelegenheit ausschilt, sie allezeit Unrecht habe. In dieser Meinung werdet ihr noch mehr bestärkt werden, wenn ihr eure Sache euren Kammeraden nach eurer Art vortragt,

tragt, denn diese werden sie zuverläßig zu eurem Vortheil entscheiden. Habt ihr daher einen Verweis bekommen, müsset ihr euch, wie ich schon vorher gesagt habe, allezeit beklagen, als wenn euch großes Unrecht geschehen wäre.

Es geschieht öfters, daß, wenn Bediente irgend wohin geschickt werden, sie etwas länger, z. B. zwei, drei, vier und auch wohl acht Stunden, außenbleiben, als zu ihren Geschäften nöthig gewesen wäre, weil ihnen vielleicht eine große Versuchung im Weg gekommen war, und man ja wohl weiß, daß man Fleisch und Blut nicht allezeit bezähmen kann. Wenn ihr nun wieder zurückkommt, und eure Herrschaft euch auszankt, von Livereiausziehen, Ausprügeln, Fortjagen und dergleichen redet, so müsset ihr allezeit einen hinlänglichen und zu allen Vorfällen passenden Vorrath von Entschuldigungen in Bereitschaft haben: zum Beispiel, euer Oheim wäre diesen Morgen viele Meilen weit hieher gekommen, um euch zu sprechen, und wollte schon morgen früh mit Tagesanbruch wieder abreisen: Ein andrer Bediente, ein ehemaliger guter Freund von euch, hätte euch einmal, wie er außer Diensten gewesen, Geld abgeborgt, und wäre damit nach Irland gegangen: Oder ihr hättet von einem alten Kammeraden, der sich nach Barbados einschiffen wollen, Abschied genommen: Oder euer Vater hätte euch eine Kuh zu verkaufen gegeben, und ihr hättet erst Abends um neun Uhr einen Kaufmann dazu bekommen. Ein andermal könnt ihr sagen, ihr hättet von einem geliebten Vetter, der den nächsten Freytag gehenkt werden sollte, Abschied genommen: Ferner, ihr hättet euch unterweges den Fuß verrenkt, und drei Stunden in einem Laden bleiben müssen, ehe ihr im Stande gewesen wäret, einen Schritt weit zu gehen: Oder ihr wäret mit einem Nachttopf aus einem Dachfenster beschüttet worden, und hättet euch geschämt, eher wieder nach Hause zu gehen, als bis ihr wieder ganz rein wäret, und der Gestank sich verflogen hätte: Oder man hätte euch als Matrosen pressen wollen und zu einem Friedensrichter geführt, wo ihr erst nach Verlauf dreier ganzer Seigerstunden verhört, und endlich mit vieler Müh und Noth wieder frei gelassen worden wäret: Ein Gerichtsdiener hätte euch aus Versehen als einen Schuldner beim Kopf genommen, und euch den ganzen Abend bei sich sitzen lassen: Oder auch, man hätte euch gesagt, eurem Herrn wäre in einem Weinhaus irgend ein Unglück zugestoßen, worüber ihr denn so beängstiget und bekümmert gewesen wäret, daß ihr ihn in mehr als hundert Weinhäusern von einem Ende der Stadt bis zum andern gesucht hättet.

Nehmet allezeit die Partei der Handwerksleute gegen euren Herrn, und wenn ihr etwas einkaufen sollt, so handelt niemals erst darum, sondern bezahlet großmüthiger Weise, was man euch abfordert. Dieses gereicht eurem Herrn zu großer Ehre, und ihr könnt alsdenn auch einige Schillinge in euren Beutel stecken; und hat euer Herr ja auch zu viel bezahlt, so müsset ihr bedenken, daß er den Verlust viel eher ertragen kann, als der arme Handwerksmann.

Lasset

Lasset es euch nie einfallen, nur einen Finger bei irgend einer Arbeit zu rühren, zu der ihr nicht besonders angenommen worden seid. Zum Beispiel, wenn der Kutscher sich etwa besoffen hat oder gar nicht zu Hause ist, und den Stall nicht zugemacht hat, so darf ein andrer Diener, wenn es ihm gleich befohlen wird, den Stall schlechterdings nicht zumachen, sondern er muß sogleich antworten: „Um Vergebung, mein Herr, ich „habe nicht mit Pferden umzugehen gelernet.“ Ist etwa ein Nagel an einer Tapete loßgegangen, und dem Laquai würde befohlen, den Nagel wieder einzuschlagen, so kann er sagen: „ich verstehe mich auf solche „Arbeit nicht, Sie werden daher nach einem Tapezirer „schicken müssen.“

Die Herrschaft pflegt gemeiniglich das Gesinde auszuzanken, wenn es die Thüren nicht hinter sich zumacht; allein sie bedenkt nicht dabei, daß diese Thüren erst aufgemacht werden müssen, ehe sie zugemacht werden können, und daß es doppelte Arbeit ist, die Thüren auf- und zuzumachen. Der kürzeste und leichteste Weg ist daher keines von beiden zu thun.

Wenn man euch aber zu oft mit dem Thürzumachen quält, und daß ihr es nicht leicht vergessen könnt, so schmeißet die Thüre beim Hinausgehen so stark zu, daß die Fenster klirren und alles, was in dem Zimmer ist, rasselt und prasselt, dadurch werdet ihr denn eure Herrschaft überzeugen, mit welcher Pünktlichkeit ihr ihre Befehle vollziehet.

Merket ihr, daß ihr bei eurer Herrschaft recht gut steht, so müsset ihr bisweilen auf eine vorsichtige und

 höfli-

höfliche Art ihnen zu verstehen geben, daß ihr nicht länger in ihren Diensten bleiben wollet. Wenn sie euch nun nach der Ursache deshalb fragen, und ihr daraus schließen könnet, daß sie euch nicht gerne fortlassen wollen, so antwortet ihnen, daß ihr von ganzem Herzen bei ihnen bleiben möchtet, man könnte es aber einem armen Dienstboten nicht verargen, wenn er sich zu verbessern suchte — Ein Dienst wäre kein Erbgut — Der Arbeit wäre viel, des Lohns aber sehr wenig. Alsdenn wird euch euer Herr ganz gewiß, wenn er nur ein Quentchen Großmuth besitzt, lieber einige Thaler zulegen, als euch aus seinen Diensten lassen. Ist euch aber diese Hofnung fehlgeschlagen, und ihr habt doch nicht Lust wegzugehen, so müsset ihr einen eurer Mitbedienten dahin zu bringen suchen, daß er eurer Herrschaft sage, er hätte euch so lange gebeten, bis ihr endlich versprochen hättet, noch eine Zeitlang zu bleiben.

Könnet ihr den Tag über einige gute Bissen wegkapern, so hebet sie auf, und macht euch mit euren Kammeraden einen frölichen Abend damit, vornehmlich aber müsset ihr den Kellner mit dazu einladen, doch unter der Bedingung, daß er euch etwas zu trinken mitbringt.

Schreibet euren, oder eures Liebchen Namen mit Kohle an die Wände in der Gesindestube, um eure Gelehrsamkeit und Schreibekunst dadurch zu zeigen.

Wenn ihr ein junger und ansehnlicher Kerl seid, und eurer Frau bei Tische etwas ins Ohr zu sagen habt, so leget eure Nase dicht an ihren Backen, oder wenn ihr

ihr keinen übelriechenden Athem habt, so blaset ihr denselben gerade ins Gesichte, denn ich habe oft bemerkt, daß dieses in einigen Familien von sehr guten Folgen gewesen ist.

Kommet niemals eher, als bis ihr drei oder viermal gerufen worden seid, denn die Hunde kommen gleich das erstemal, wenn man ihnen pfeift. Und wenn der Herr fragt: Wer ist da? so hat kein Bedienter nöthig zu erscheinen, denn kein Mensch heißet: Wer ist da?

Habt ihr alle eure irdnen Töpfe und Tiegel in der Küche zerbrochen, (welches gemeiniglich wöchentlich einmal geschiehet,) so können die kupfernen Töpfe eben diese Dienste verrichten. Man kann Milch, warm Bier oder Suppe darinne kochen; im Fall der Noth lassen sie sich aber auch als Kammertöpfe gebrauchen. Ihr könnt sie also ohne Unterschied zu allen gebrauchen, wozu sie gut sind. Waschet und scheuert sie aber niemals aus, damit ihr nicht der Verzinnung Schaden thut.

Obgleich in der Gesindestube Messer für euch zum Essen da sind, müsset ihr doch dieselben schonen, und nur eurer Herrschaft ihre gebrauchen.

Lasset es euch zur beständigen Regel dienen, es dahin zu bringen zu suchen, daß kein Stuhl, keine Bank oder Tisch in der Küche oder in der Gesindestube mehr als drei Beine habe, denn dieses ist eine alte und beständige Gewohnheit in allen Häusern gewesen, die ich gekannt habe, und es soll sich dieselbe auf zwei Ursachen gründen. Die erste ist, daß man dadurch zeigen will, daß das Gesinde allezeit in armseligen Umständen ist. Die zweite, weil man es für eine Art von Demuth hält, wenn die Tische und Stühle des Gesindes wenigstens ein Bein weniger haben, als die Tische und Stühle ihrer Herrschaft. Ich gebe zu, daß diese Regel in Ansehung des Kochs oder der Köchin, denen einer alten Gewohnheit zufolge ein bequemerer Stuhl, um Mittagsruhe darinne zu halten, eingeräumet worden ist, eine Ausnahme gelitten hat, und dennoch habe ich diese auch selten mit mehr als drei Beinen gesehen. Die Philosophen schreiben diese ansteckende Lähmung der Gesindestühle zweien Ursachen zu, von welchen man die Bemerkung gemacht hat, daß sie in Freistaaten und Königreichen die größten Unruhen und Verheerungen angerichtet haben, und diese sind die Liebe und der Krieg. Ein Stuhl, ein Tisch, sind gemeiniglich die ersten Waffen, deren man sich bei einem Haupttreffen oder bei einem Scharmützel bedient; und wenn wieder Friede gemacht ist, so müssen die Stühle, wenn sie nicht fest und stark genug gearbeitet sind, bei einem Liebeshandel sehr viel leiden, weil die Köchin mehrentheils stark bei Leibe und schwerfällig, und der Kellner immer ein wenig betrunken ist.

Ich habe es allezeit mit großem Verdruß und Aergerniß gesehen, wenn die Dienstmägde so unartig gewesen sind, und ihre Röcke, wenn sie über die Straße gegangen sind, aufgesteckt haben; die Ursache, die sie deshalb anführen, daß nemlich die Röcke sonst schmuzig würden, kommt mir sehr lächerlich vor, weil sie ja ein sehr leichtes Mittel dagegen haben, indem sie nur, wenn

wenn sie nach Hause gekommen sind, ein paar reine Treppen auf und nieder gehen dürfen.

Bleibt ihr etwa auf der Gasse stehen, um mit einem guten Bekannten zu schwatzen, so lasset ja eure Hausthüre offen, damit ihr ohne anzuklopfen wieder hineinkommen könnet, denn sonst würde eure Frau gleich wissen, daß ihr weggelaufen wäret, und sie könnte euch alsdenn darüber ausschelten.

Ich ermahne euch alle ernstlich, Friede und Einigkeit unter euch zu halten. Ihr müsset mich aber nicht falsch verstehen. Zanken könnet ihr euch miteinander, wie ihr wollet, nur dürfet ihr nicht dabei vergessen, daß ihr einen gemeinschaftlichen Feind habt, und dieser ist eure Herrschaft. Ihr habt demnach eine gemeinschaftliche Sache mit einander zu vertheidigen. Glaubet mir als einem alten Praktiker. Wer aus Bosheit gegen seinen Kammeraden seiner Herrschaft etwas hinterbringt, wider den muß sich das ganze Gesinde zu seinem Untergange verbinden.

Der allgemeine Versammlungsort für das Gesinde, sowohl im Winter als im Sommer, ist die Küche. Da muß über alle die großen Angelegenheiten des Hauswesens berathschlaget werden, sie mögen nun den Stall, die Speisekammer, das Waschhaus, den Keller, die Kinderstube, den Speisesaal, oder der Frau ihre Schlafkammer betreffen. Hier seid ihr in eurem eignen Elemente. Hier könnet ihr ganz nach eurem Willen lachen, schäkern und zanken.

Kommt einer von den Bedienten so betrunken nach Hause, daß er seine Herrschaft nicht gehörig bedienen kann, so müsset ihr alle insgesammt eurer Herrschaft sagen, daß er ganz krank zu Bette gegangen sey. Alsdenn wird eure Frau schon so gutherzig seyn, und dem armen Teufel etwas Gutes zu essen schicken.

Wenn euer Herr und eure Frau miteinander des Mittags oder Abends außer dem Hause speisen, so dürfet ihr nur ein einziges von dem Gesinde im Hause lassen, um auf die Thüre und auf die Kinder, wenn welche da sind, Achtung zu geben. Wer einmal zu Hause bleibt, der muß sich vorher allezeit darauf gefaßt machen, daß ihr andern etwas lange außenbleibt. Er kann sich unterdessen die Zeit durch eine Zusammenkunft mit seinem Schätzchen zu vertreiben suchen, und hat nicht zu befürchten, darinne gestört zu werden. Diese guten Gelegenheiten müsset ihr niemals vernachlässigen, weil sie nicht gar zu oft kommen; und ihr seid auch allezeit sicher genug, wenn nur ein Bedienter im Hause ist.

Wenn euer Herr oder eure Frau nach Hause kommt, und nach einem Bedienten fragt, der nicht zu Hause ist, so müsset ihr sagen, daß er nur erst den Augenblick weggegangen sei, weil sein Vetter, der auf dem Todbette läge, nach ihm geschickt hätte.

Wenn euch eure Herrschaft bei eurem Namen ruft, und ihr antwortet ohngefehr beim viertenmale, so brauchet ihr alsdenn euch gar nicht zu übereilen; und sollte euch etwa eure Herrschaft deswegen, daß ihr so lange außengeblieben wäret, ausschelten wollen, so könnet ihr

ihr mit Fug und Recht sagen, ihr wäret darum nicht eher gekommen, weil ihr nicht gewußt hättet, weswegen ihr gerufen worden wäret.

Bekommt ihr eines Versehens wegen einen Verweis, so brummet, wenn ihr zum Zimmer hinaus und die Treppe hinunter gehet, so laut darüber, daß es eure Herrschaft deutlich hören kann. Dieses wird sie dann von eurer Unschuld überzeugen.

Will jemand eure Herrschaft besuchen, wenn sie nicht zu Hause ist, so beschweret euer Gedächtniß ja nicht mit dem Namen einer solchen Person, sie mag auch sein, wer sie wolle, denn ihr habt ohnedieß immer an tausend andre Dinge zu denken. Ueberdieß ist ja das auch eigentlich das Amt eines Portiers, und die Schuld liegt also an eurer Herrschaft, wenn sie keinen hält. Wer ist auch übrigens im Stande, alle Namen zu behalten? Ihr würdet auch oft einen mit dem andern verwechseln, weil ihr weder schreiben noch lesen könnt.

Wenn es möglich ist, so hütet euch ja, eure Herrschaft zu belügen, ihr müßtet denn vermuthen können, daß sie wenigstens in einer halben Stunde nicht hinter die Wahrheit kommen könnte. Hat einer von den Bedienten seinen Abschied erhalten, so müssen nunmehr alle seine Fehler gehörig angezeiget werden, wenn auch schon die meisten davon der Herrschaft nie bekannt gewesen sind, und aller von andern angerichteter Schade muß alsdenn auf die Rechnung eines solchen Verabschiedeten geschrieben werden. Ihr müsset daher alles nach der Reihe her erzählen. Und wenn euch eure

Herr-

Herrschaft nun fragt, warum ihr niemals vorher etwas davon gesagt hättet, so müßt ihr antworten: Ich hätte es allerdings thun sollen, ich wollte Sie aber erstlich nicht gerne wegen dieser Kleinigkeiten ärgern, und auf der andern Seite befürchtete ich, daß Sie mir es für eine Art von Bosheit oder Neid auslegen möchten, wenn ich es Ihnen sagte.

Wenn noch ganz junge Söhne und Töchter im Hause sind, so wird das Gesinde leider gar oft in seinen Ergötzlichkeiten gestört. Um diesem Uebel abzuhelfen, weiß ich kein anderes Mittel, als diese jungen Herrschaften mit allerhand Kleinigkeiten zu bestechen, damit sie dem Papa und der Mama keine Histörchen von euch erzählen.

Euch Bedienten, deren Herrschaften auf dem Lande wohnen, gebe ich den guten Rath, daß, wenn ihr von fremden Besuchen Trinkgelder haben wollet, (ohne welche ein Bedienter nicht wohl leben kann), ihr euch allezeit, wenn der Besuch sich wieder empfiehlt, in zwei Reihen hinstellt, so daß er schlechterdings zwischen euch durchpaßiren muß. Er müßte äußerst unverschämt sein, oder weniger Geld, als gewöhnlich ist, bei sich haben, wenn er alsdenn einem von euch entwischen sollte. Nachdem er sich nun gegen euch aufführt: könnet ihr, wenn er ein andermal wiederkommt, eure Maaßregeln nehmen.

Werdet ihr wohin geschickt, etwas mit baarem Gelde einzukaufen, und es fehlt euch etwa zu eben der Zeit an Taschengelde, so steckt dieses Geld in euren Beutel, und lasset die eingekauften Sachen auf eures Herrn Rechnung schreiben. Dieses gereicht sowohl zu eures

eures Herrn Ehre, als auch zu der eurigen, denn er wird durch diese Art von Empfehlung ein Mann von Kredit.

Lässet euch eure Frau auf ihr Zimmer holen, um euch etwas anzubefehlen, so bleibet ja allezeit an der Thüre stehen und lasset sie offen; spielet, so lange sie mit euch redet, mit dem Schlosse; behaltet auch den Dreher beständig in der Hand, damit ihr nicht etwa vergesset, die Thüre hinter euch zuzumachen.

Sollte es ja einmal geschehen, daß euch eure Herrschaft ungerechterweise irgend eines Fehlers beschuldigte, so ist euer Glück gemacht, denn ihr dürft nunmehr weiter nichts thun, als sie bei jedem Fehler, den ihr begehet, so lange ihr in ihren Diensten seid, an die falsche Beschuldigung wieder erinnern, und zugleich behaupten, daß ihr diesmal eben so unschuldig seid, als das letztemal.

Wenn ihr etwa gerne von eurer Herrschaft wegwollt, und seid zu blöde, ihr den Dienst aufzusagen, weil ihr sie vielleicht dadurch zu beleidigen fürchtet, so kann ich euch kein besseres Mittel sagen, als daß ihr auf einmal viel gröber und nachläßiger werdet, als ihr es vorher waret, bis es endlich eure Herrschaft für nöthig hält, euch fortzuschaffen. Wenn ihr nun weg seid, so müsset ihr, um euch deshalb zu rächen, euren andern bekannten Bedienten, die außer Diensten sind, eine so häßliche Beschreibung von eurer Herrschaft machen, daß es nicht so leicht einer wagt, in ihre Dienste zu treten.

Einige

Einige zärtliche Damen, welche alle Augenblicke sich zu erkälten befürchten, haben bemerket, daß Diener und Mägde unten im Hause öfters beim Aus- und Eingehen durch die Hinterthür selbige wieder zuzumachen vergessen. Sie sind daher auf den schönen Einfall gekommen, eine Rolle an die Thüre und über derselben einen Strick, an dessen Ende ein großes Stück Blei gehängt wird, befestigen zu lassen, so daß die Thüre allezeit von selbst wieder zufällt, hingegen aber auch eine ungeheure Kraft erfordert wird sie aufzumachen, welches für das Gesinde, welches in einem Morgen seiner Geschäfte wegen wohl funfzigmal hin und wieder gehen muß, eine entsetzliche Arbeit und Plage ist. Allein was vermag nicht ein sinnreicher Einfall? Kluge und listige Bediente haben ein herrliches Gegenmittel wider diese fast ganz unerträgliche Beschwerlichkeit ausfindig gemacht. Sie wissen nemlich die Rolle so geschickt fest anzubinden, daß sie sich gar nicht bewegen, und folglich die Schwere des Bleies nicht die geringste Wirkung haben kann. Ich aber für meinen Theil, würde allezeit lieber die Thür durch Vorlegung eines großen Steins beständig offen zu erhalten suchen.

Die Leuchter des Gesindes werden gemeiniglich immer zerbrochen, denn es kann ja eine Sache nicht ewig dauren. Ihr könnt euch aber hier auf mancherley Art helfen. Ihr dürft z. B. nur das Licht in den Hals einer Bouteille stecken, oder es mit einem Stückchen Butter an die Wand kleben, es in einen Puderbüster stecken, oder in einen alten Schuh, oder in ein zerspaltenes Stück Holz, oder in einen Pistolenlauf, oder

in

in sein eignes Talg auf einem Tische, oder in eine Kaffee-Thee-oder Milchkanne, oder in ein Bierglas, in eine zusammengedrehete Serviette, in einen Senftopf, in ein Dintenfaß, in einen Marksknochen, in ein Stück Teig, oder ihr könnt auch ein Loch in ein Brod schneiden und es hineinstecken.

Wenn ihr die benachbarten Bedienten zu euch bittet, um euch einmal einen Abend mit ihnen recht lustig zu machen, so lehret sie eine besondere Art an das Küchenfenster zu klopfen oder anzukratzen, so daß ihr es wohl hören könnet, aber nur nicht eure Herrschaft, welche ihr zu einer solchen unschicklichen Zeit nicht stören und erschrecken dürfet.

Schiebet jedes Versehen und allen angerichteten Schaden auf das Schooshündchen, auf eine Lieblingskatze, auf den Affen, Papagei, auf ein Kind, oder auf den zuletzt abgedankten Bedienten. Durch Beobachtung dieser heilsamen Regel setzet ihr euch allezeit außer Schuld, thut Niemanden Schaden, und eurer Herrschaft ersparet ihr die Mühe und den Verdruß zu keifen.

Fehlet es euch an irgend einigen zu einer Arbeit gehörigen Werkzeugen, so bedienet euch lieber aller nur erdenklichen Mittel, um diese Arbeit verrichten zu können, als daß ihr sie unvollendet liegen lasset. Z. B. Wenn der eiserne Haken, womit das Feuer angeschürt wird, nicht gleich bei der Hand oder zerbrochen ist, so nehmet unterdessen die Zange dazu. Ist die Zange nicht bei der Hand, so nehmet den spitzigen Theil des Blasebalges, den Stiel der Feuerschaufel oder des Feuer-

Feuerbesens, oder auch das spanische Rohr eures Herrn. Fehlet euch Papier einen Vogel zu fangen, so zerreißet das erste Buch, das ihr findet. Wischet eure Schuhe in Ermangelung einer Schuhbürste an das untre Ende eines Vorhangs, oder an eine damastene Serviette. Reißet die Borden von eurer Liverei herunter, und macht Strumpfbänder daraus. Braucht der Kellner etwa einen Kammertopf, so kann er einen großen silbernen Becher darzu nehmen.

Es giebt sehr verschiedene Arten das Licht auszulöschen, und diese müssen euch alle bekannt gemacht werden. Ihr könnet zum Beispiel mit dem Ende des Lichts an die getäfelte Wand laufen, wodurch die noch glimmende Schnuppe sogleich völlig verlöschen wird. Ihr könnt es auf den Fußboden legen, und die Schnuppe mit den Füßen austreten. Ihr könnet es umkehren und so lange halten, bis es von seinem eignen herabtröpfelnden Talg verlöscht, oder könnet auch das brennende Ende in die Tille des Leuchters hineinstecken. Ihr könnet es auch so lange um den Kopf herumschwingen, bis es ausgeht. Wenn ihr zu Bette geht und euer Wasser gelassen habt, so könnt ihr es in den Nachttopf stecken. Ihr könnt auch den Zeigefinger und den Daumen ein wenig mit Speichel befeuchten, und damit das brennende Docht so lange zusammendrücken, bis es ausgeht. Die Köchin kann mit dem Lichte in das Mehlfaß fahren. Der Stalljunge kann es in einen Kasten mit Hafer oder in ein Bündel Heu oder Stroh hineinstecken. Die Hausmagd darf nur mit dem Lichte an einen Spiegel anrennen, wodurch

sie

sie ihn zugleich, (weil bekanntermaaßen nichts so gut dazu ist als Lichtschnuppe) rein und helle machen kann. Die geschwindeste und beste Art aber unter allen ist, das Licht auszublasen, denn da bleibt es recht rein, und kann auch viel leichter wieder angezündet werden.

Nichts ist in einem Hause schädlicher als eine Plaudertasche; ihr müsset euch daher sämtlich wider einen solchen verschwören. Die Verrichtung des Bedienten, der diese schändliche Handlung begeht, mag nun bestehen worinne sie will, so müsset ihr keine Gelegenheit vorbei gehen lassen, selbige untauglich zu machen, und ihm in jeder Sache zuwider zu sein. Zum Beispiel, wenn der Kellner ein solcher Verräther ist, so zerbrecht ihm seine Gläser, sobald er nur die Speisekammerthüre offen stehen läßt, oder schließet die Katze oder den Haushund hinein, welche euch eben diese Gefälligkeit erzeigen werden. Verleget ihm eine Gabel oder einen Löffel, so daß er es nie wieder finden kann. Ist die Köchin eine Klätscherin, so werfet, so bald sie den Rücken kehret, einen Klumpen Ruß, oder eine Hand voll Salz in den Topf, oder rauchende Kohlen in die Pfanne, welche unter dem Braten steht, oder reibet den Braten ein wenig an den Schorstein, oder verstecket den Schlüssel zum Bratenwender. Hat sich ein Laquai dieses Verbrechens schuldig gemacht, so kann die Köchin ihm auf das Hintertheil seiner neuen Liverei ein Paar große Flecke machen, oder wenn er mit einer Schüssel Suppe hinaufgeht, so kann die Köchin mit einem vollen Kochlöffel ganz leise hinterdrein gehen und die Suppe aus demselben über die ganze Treppe bis in das Speisezimmer herabtröpfeln lassen, und alsdenn muß die Hausmagd einen Lerm und ein Geschrei darüber anfangen, daß es die Frau hören kann.

Es ist auch wahrscheinlich, daß das Kammermädchen, um sich dadurch bei ihrer Herrschaft einzuschmeicheln, sich dieses Verbrechens der Verrätherei bisweilen schuldig machen wird. In diesem Fall muß die Wäscherin ihre Hemden bei der Wäsche zerreißen, und sie doch nur halb rein waschen, und wenn sie sich darüber beklagt, zu allen Leuten im Hause sagen, daß sie so sehr schwitze, und eine so garstige Haut habe, daß sie in einer Stunde ihr Hemde weit schmuziger mache, als die Köchin in einer ganzen Woche.

Unter.

Unterricht für das Gesinde.

Erstes Kapitel.

Für den Kellner.

Aus meinen vieljährigen Bemerkungen sehe ich, daß Ihr, Kellner, in Ansehung meiner Verhaltungsregeln für das Gesinde, die Hauptperson seid.

Da Euer Amt vor vielen andern so mannigfaltig ist, und die größte Aufmerksamkeit und Genauheit erfordert, so werde ich, so gut ich mich noch darauf besinnen kann, die verschiedenen Theile desselben durchgehen und meine Lehre darnach einrichten.

Wenn ihr an dem Schenktische steht, so traget alle mögliche Sorge, daß Ihr Euch die Mühe und Eurem Herrn seine Gläser erspart; erstlich, da alle diejenigen, welche an einer Tafel zusammen speisen, für gute Bekannte und Freunde anzusehen sind, so laßt sie alle aus einem Glase trinken, und zwar ohne es wieder auszuspühlen; dadurch werdet Ihr Euch viel Mühe ersparen, und nicht Gefahr laufen das Glas zu zerbrechen. Reichet keinem von den Gästen etwas zu trinken, wenn er es nicht wenigstens dreimal gefordert hat. Einige werden daher entweder aus Bescheidenheit oder aus Vergessenheit desto seltner etwas verlangen, und auf diese Weise könnet Ihr Eures Herrn Getränke ersparen.

Verlangt Jemand ein Glas Bier, so schüttelt erst die Bouteille, um zu sehen, ob etwas drinnen ist. Alsdenn kostet es auch, um zu sehen, was drinnen ist, damit Ihr ihm nicht vielleicht etwas gebt, was er nicht gefordert hat, und hernach wischet den Rand der Bouteille mit der flachen Hand ab, um Eure Reinlichkeit zu zeigen.

Suchet lieber den Stöpsel in den Bauch, als in den Mund der Bouteille zu bringen; denn wenn der Stöpsel sauer riecht, oder das Getränke kahnicht ist, so wird gewiß desto weniger getrunken werden.

Ist etwa ein Mensch von geringem Stande, ein Priester vom Lande, ein Schulhalter oder ein Anverwandter, der Eures Herrn Gnade leben muß, mit an der Tafel, und Ihr sehet, daß er von Eurem Herrn und von der andern Tischgesellschaft nicht sehr geachtet wird, welches Niemand besser sehen kann, als ein Bedienter, so müsset Ihr und die andern Bedienten es Euch so viel wie möglich angelegen sein lassen, dem Beispiel derer, welche vornehmer sind, als Ihr, zu folgen, und solchen Personen viel schlechter begegnen, als den übrigen; dadurch werdet Ihr Euch bei Eurem Herrn, oder wenigstens bei Eurer Frau ausserordentlich beliebt machen.

Verlangt Jemand gegen das Ende der Mahlzeit dünnes Bier, so gebt Euch nicht die Mühe, in den Keller zu gehen, sondern gießet die Tropfen und Neigen der

der verschiedenen Becher, Gläser und Schenkteller in ein Glas zusammen; kehret aber ja der Gesellschaft den Rücken zu, damit es Niemand sehen kann. Verlangt aber Jemand gegen das Ende der Mahlzeit starkes Bier, so füllet den größten Becher damit bis an den Rand, dadurch wird Euch der größte Theil davon anheim fallen, und Ihr werdet Euch bei Euren Kammeraden beliebt machen können, ohne die Sünde eines gegen Eure Herrschaft verübten Diebstahls auf Euch zu laden.

Es giebt auch noch eine andere eben so ehrliche Art, Euch einige Sportelchen zu machen und Gelegenheit zu haben, alle Tage den besten Theil einer Bouteille Wein für Euch zu behalten; denn Ihr müsset glauben, daß vornehme Leute sich nicht um den Rest einer Bouteille Wein bekümmern werden. Setzet daher den Gästen nach der Mahlzeit allezeit eine frische vor, wenn auch schon nicht über ein Glas von der ersten getrunken worden wäre.

Sorget vornämlich dafür, daß Eure Bouteillen nicht dumpfich riechen, ehe Ihr sie füllet. Blaset deswegen, so stark wie möglich, in den Mund jeder Bouteille, und wenn Ihr alsdenn nichts, als Euren eignen Athem riechet, so füllet sie sogleich.

Wenn Ihr in den Keller geschickt werdet, um geschwinde etwas zu trinken herauf zu holen, und Ihr sehet, daß das Faß nicht gut laufen will, so gebt Euch nicht erst die Mühe, das Spundloch zu öfnen, sondern blaset nur recht stark in den Hahn, und so wird es Euch sogleich in den Mund tröpfeln. Wollet Ihr aber ja das Spundloch öfnen, so haltet Euch nur nicht erst lange auf, es wieder zuzumachen, damit Euer Herr nicht auf Euch warten müsse.

Habt Ihr etwa Lust, einige von den besten Bouteillen Eures Herrn zu kosten, so leeret so viele davon, als ihr nöthig habt, bis unter den Hals aus. Vergesset aber ja nicht, sie wieder mit reinem Wasser anzufüllen, damit Eures Herrn Wein nicht vermindert werde.

Man hat vor einigen Jahren eine herrliche Erfindung gemacht, wie man am Schenktische am besten mit dem starken und dünnen Biere umgehen soll, z. B. es verlangt einer ein Glas stark Bier, und trinkt es nur halb aus; ein anderer fordert dünnes Bier; wenn dieses geschehen ist, so gießet den Augenblick das von dem erstern übrig gebliebene in die große Kanne, und füllet das Glas mit dünnem Bier, und so macht es auch wiederum umgekehrt, so lange die Mahlzeit dauert. Hierdurch werdet Ihr einen wichtigen dreifachen Vortheil erlangen. Erstlich erspart Ihr Euch die Mühe, das Glas auszuspülen, und folglich vermeidet ihr auch die Gefahr es zu zerbrechen. Zweitens seid Ihr gewiß versichert, daß Ihr jedem von den Gästen das rechte Bier gebt, was er verlangt, und Drittens seid Ihr auch völlig überzeugt, daß nichts umkommt.

Weil die Kellner gar leicht vergessen können, ihr Getränke zu rechter Zeit herauf zu holen, so seid darauf bedacht, daß Ihr das Eurige allemal schon zwei Stunden vor der Mahlzeit oben habt. Setzet es auch an den Ort in dem Zimmer, wo die Sonne am meisten hinscheint,

scheint, damit die Leute sehen, daß Ihr nicht nachläßig gewesen seid.

Einige Kellner haben die üble Gewohnheit, das Bier aus den Bouteillen ganz langsam auszugießen, wodurch ein großer Theil desselben verlohren geht. Gewöhnet Euch dahero an, die Bouteille bei dem Ausgießen perpendiculair zu halten, damit das Dicke und Dünne fein unter einander komme, denn auf diese Weise wird kein Tropfen davon verloren gehen, und der Schaum wird machen, daß man die damit vermischten Hefen nicht sehen kann.

Wischet Eure Teller und Messer und die beschmutzten Tische mit den Servietten und Tischtüchern ab, welche den Tag über gebraucht worden sind, weil sie einmal wieder gewaschen werden müssen. Ueberdieß werden auch die groben Wischtücher mehr geschonet, und zur Belohnung einer so guten Oekonomie könnet Ihr Euch mit Recht der feinsten damastenen Servietten zu Nachtmützen bedienen. Wenn Ihr Eure Schüsseln und Teller putzet, so lasset auch den Kalk, oder was Ihr sonst dazu gebraucht, in allen Ritzen derselben kleben, damit nicht etwa Eure Frau glauben möge, daß Ihr sie nicht rein gemacht hättet.

Bei keiner Sache fällt die Geschicklichkeit eines Kellners so sehr in die Augen, als bei den Lichtern, ob auch schon ein Theil dieser Beschäfftigung den andern Bedienten zufällt. Weil Ihr, Kellner, aber doch die Hauptperson dabei seid, so will ich meinen Unterricht in Ansehung dieses Artikels hiermit blos an Euch gerichtet

B 4

richtet haben, und es Euren Mitbedienten überlassen, sich desselben bei vorfallenden Gelegenheiten zu bedienen.

Erstlich müsset Ihr zu verhüten suchen, daß, um Eures Herrn Lichter zu schonen, am Tage keines verbrannt werde. Bringt daher niemals eher Licht in das Zimmer, als nachdem es schon eine halbe Stunde dunkel gewesen ist, wenn es auch Euch noch so oft befohlen worden wäre.

Lasset Eure Leuchtertillen allezeit bis an den Rand voller Talg sein, woran auch noch die alte Schnuppe hängt, und denn stecket die frischen Lichter oben darauf. Ihr setzet sie zwar dadurch in Gefahr herunterzufallen, allein die Lichter werden auch dagegen ein längeres und schöneres Ansehen vor der Gesellschaft haben. Ein andermal stecket Eure Lichter ganz frei in die Tillen, um zu zeigen, daß sie bis auf den Boden ganz rein sind.

Wenn das Licht für die Tille zu dicke ist, so haltet es so lange ans Feuer, bis es hineinpaßt, und um den Dampf zu verbergen, umwickelt es halb mit Pappier.

Ihr müsset nothwendiger Weise seit einigen Jahren die große Verschwendung der Lichter unter vornehmen Leuten bemerket haben. Ein guter Kellner muß daher alle Mittel anwenden, sie davon abzuhalten, um sich dadurch die Mühe und seinem Herrn das Geld zu ersparen. Dieses kann denn auf verschiedene Weise geschehen; z. B. wenn euch befohlen wird, Lichter auf die Wandleuchter zu stecken.

Wandleuchter sind große Lichtverschwender, und Ihr, die Ihr allezeit den Vortheil Eures Herrn vor

Augen

Augen haben sollet, müßt alles mögliche thun, diesem Unwesen abzuhelfen. Eure Pflicht ist demnach, das Licht mit beiden Händen dergestalt in die Tille hineinzudrücken, daß es so dünne wird, daß der Talg davon auf den Fußboden herabtröpfelt, wenn er nicht von dem Kopfzeuge einer Dame oder der Peruque eines Herrn aufgefangen wird. Ihr könnt auch das Licht so locker darauf stecken, daß es an das Glas des Wandleuchters fällt und es in Stücken zerbricht. Dadurch wird Euer Herr jährlich manchen schönen Thaler sowohl an Lichtern, als auch an Wandleuchtern, erhalten, und Euch viel Mühe und Arbeit ersparen, denn zerbrochene Wandleuchter können nicht mehr gebraucht werden.

Lasset die Lichter niemals zu weit abbrennen, sondern gebt sie als rechtmäßige Sporteln Eurer Freundin, der Köchin, um ihre Küchenaccidenzien dadurch zu vermehren, oder wenn dieses in Eurem Hause nicht erlaubt ist, so gebt sie Euren armen Nachbarn, welche oft für Euch Botschaft laufen müssen, als ein Allmosen.

Wenn Ihr Brod röstet: so bleibt nicht müßig dabei stehen, um Acht darauf zu geben, sondern leget es auf die Kohlen, und gehet Euren andern Verrichtungen nach. Wenn Ihr dann zurückkommt und findet, daß es durch und durch geröstet ist, so schabt die verbrannte Seite ab und traget es auf.

Wenn Ihr Euren Schenktisch aufputzt, so setzet die besten Gläser so nahe an den Rand des Tisches, als ihr nur könnt, dadurch werden sie ein weit schöneres Ansehen bekommen, und einen doppelten Glanz von sich werfen, und das schlimmste, was daraus erfolgen kann,

 ist,

ist, daß ohngefähr ein halb Dutzend davon zerbrechen, welches für Euren Herrn immer nur eine Kleinigkeit ist.

Spühlet die Gläser mit Eurem eigenen Wasser aus, um Eurem Herrn das Salz zu ersparen.

Ist etwa etwas Salz auf den Tisch verschüttet worden, so lasset es nicht umkommen, sondern schlaget nach geendigter Mahlzeit das Tischtuch mit dem verlornen Salze zusammen, und schüttet es in das Salzfaß, damit es den andern Tag wieder gebraucht werden könne. Das kürzeste und sicherste Mittel aber ist, die Messer, Gabeln, Löffel, Salzfässer, Stückchen Brod und die kleinen Ueberbleibsel von den Speisen, in das Tischtuch zusammen zu wickeln, weil Ihr dann versichert sein könnt, daß nichts verlohren gehen kann, Ihr müßtet es denn lieber zum Fenster hinaus, für den Bettlern hinunter schütten wollen, damit sie die überbliebenen Brocken mit desto mehr Bequemlichkeit verzehren können.

Lasset die Hefen von Wein, Bier und andern Getränken in den Bouteillen. Sie zu reinigen, heißt blos die Zeit verderben, weil dieses alles auf einmal bei einer allgemeinen Auswaschung geschehen kann, und Ihr habt so auch eine bessere Entschuldigung, wenn Ihr einige davon zerbrecht.

Hat Euer Herr viele dumpfig riechende, oder sehr unreine und gleichsam mit einer Rinde überzogene Bouteillen, so gebe ich Euch den wohlmeinenden Rath, dieselben zu allererst in dem nächsten Brauhause für Bier oder Branntwein zu vertauschen.

Wird

Wird Eurem Herrn eine Botschaft gebracht, so begegnet dem Bedienten, der sie überbringt, allezeit freundlich und höflich, und gebt ihm das beste zu trinken, was Ihr nur habt, um Eurem Herrn Ehre zu machen. Er wird Euch dann bei der ersten Gelegenheit gewiß ein gleiches wiederfahren lassen.

Nach dem Abendessen, wenn es dunkel ist, traget Eure Teller und Euer Porcellain zusammen in einem Korbe hinweg, um das Licht zu ersparen. Denn Ihr kennet ja Eure Speisekammer gut genug, um es darinnen, wenn es auch schon dunkel ist, wieder aufstellen zu können.

Wenn zum Mittags- oder Abendessen Gesellschaft erwartet wird, so suchet es allezeit so einzurichten, daß Ihr nicht da seid, damit nichts, was unter Euren Schlüsseln ist, herbei geschaft werden kann; dadurch werdet Ihr Eures Herrn Getränke ersparen, und das Trinkgeschirr wird weniger abgenutzt werden.

Ich komme nunmehr auf den wichtigsten Theil Eures Amtes, nämlich die Abzapfung des Weins. Hiebei habe ich Euch besonders drei große Tugenden zu empfehlen: die Reinlichkeit, Sparsamkeit und die brüderliche Liebe. Suchet allezeit die längsten Stöpsel zu kaufen, die Ihr nur bekommen könnet, dadurch werdet Ihr etwas Wein in den Hälsen Eurer Bouteillen ersparen. Was die Bouteillen betrift, so suchet allezeit die kleinsten heraus, die Ihr nur finden könnet. Dadurch wird die Anzahl der Dutzende vermehret werden, welches Eurem Herrn nicht unangenehm sein wird; denn eine Bouteille Wein bleibt immer eine Bouteille Wein,

es

es mag nun viel oder wenig darinnen sein. Und hat Euer Herr seine richtige Zahl der Bouteillen, so hat er nicht Ursache, sich zu beklagen.

Eine jede Bouteille muß allezeit wieder mit Wein ausgespült werden, weil es leicht geschehen kann, daß beim Ausspülen etwas unreines darinnen geblieben ist. Einige pflegen aus einer übel angebrachten Sparsamkeit ein ganzes Dutzend Bouteillen mit einem und eben demselben Weine auszuspülen. Ich will Euch aber lieber zu mehrerer Vorsicht rathen, bei jeder Bouteille andern Wein zu nehmen. Ihr braucht ja dazu nicht mehr, als ein halb Nösel. Ihr müsset nun auch immer Bouteillen bei der Hand haben, um denselben wieder hinein füllen zu können. Dieses wird Euch auf alle Fälle recht gut zu statten kommen, Ihr möget ihn nun entweder verkaufen, oder mit der Köchin austrinken.

Zapfet niemals das Weinfaß zu tief ab, noch setzet es auf die Neige, damit der Wein nicht trübe werde. Fängt es an, langsam zu laufen, und der Wein ist noch nicht trübe, so schüttelt das Faß ein wenig um, und bringet Eurem Herrn ein Glas davon. Der wird Euch dann ganz gewiß wegen Eurer Vorsicht und Aufmerksamkeit loben, und Euch den ganzen Rest als einen Theil der mit Eurem Amte verbundenen Sportelchen überlassen. Den andern Tag könnet Ihr das Faß auf die Neige setzen, und nach Verlauf von vierzehn Tagen werdet Ihr ein oder zwei Dutzend Bouteillen reinen Wein haben, womit Ihr denn machen könnet, was Ihr wollet.

Wenn

Wenn Ihr Wein abzieht, so stecket Euch den Mund voller Stöpsel, und dazu noch ein gutes Stück Toback. Dieses wird dem Weine den wahren Geschmack nach der Traube geben, welcher allen Kennern dieses Getränkes so angenehm ist.

Wenn Euch befohlen wird, eine verdächtige Bouteille auszugießen, so gebt derselben, wenn etwa ein halbes Nöselchen aus ist, mit der Hand einen geschickten Stos, und zeiget alsdenn in einem Glase, daß der Wein anfange trübe zu werden.

Soll ein Faß Wein oder irgend ein ander Getränke abgezogen werden, so spühlt Eure Bouteillen kurz vorher, ehe ihr damit anfanget, rein aus. Hütet Euch aber ja, sie auszutrocknen. Durch diese gute Einrichtung werdet Ihr Eurem Herrn allezeit einige Kannen bei jedem Fasse ersparen.

Hier ist der rechte Zeitpunkt, wo Ihr, zur Ehre Eures Herrn, Eure Freundschaft gegen Eure Mitbedienten, besonders aber gegen die Köchin zeigen müßset; denn einige Flaschen aus einem ganzen Fasse, sind ja fast gar nicht zu bemerken. Lasset ihnen aber dieselben in Eurer Gegenwart trinken, damit sie nicht andern Leuten gegeben werden, welche es vielleicht Eurer Herrschaft wiedersagen könnten. Rathet ihnen aber, daß sie, wenn sie sich betrunken haben, sich ins Bette legen, und der Herrschaft sagen lassen, daß sie krank geworden wären. Diese letztere Vorsicht sollten billig alle Bediente von beiderlei Geschlecht gebrauchen.

Wenn Euer Herr siehet, daß sein Weinfaß nicht so viel hält, als er sich vorgestellet hat, so ist nichts natür-

natürlicher, als daß das Faß entweder leck geworden ist, oder daß der Weinküper es nicht zu rechter Zeit gefüllet, oder daß ihn der Kaufmann mit einem Fasse, welches nicht das völlige Maas hält, betrogen hat.

Sollt Ihr etwa nach der Mittagsmahlzeit Wasser zum Thee heraufbringen, (welches in vielen Häusern mit zu Eurem Amte gehört) so gießet, um das Feuer zu ersparen, und um es desto geschwinder bringen zu können, das Wasser aus dem Kessel, worinne Kohl oder Fische gekocht worden sind, in den Theekessel. Dieses wird den Thee viel gesünder machen, weil ihm dadurch seine natürliche Säure und Schärfe benommen wird.

Gehet mit Euren Lichtern so rathsam als möglich um, und lasset die, welche auf den Wandleuchtern im Saale und auf den Treppen in den Laternen stecken, so lange brennen, bis sie von sich selbst ausgehen. Euer Herr und Eure Frau werden alsdenn, so bald sie es nur riechen, Eure Sparsamkeit loben.

Wenn Jemand von den Gästen eine Schnupftobacksdose oder ein Etui auf dem Tische liegen läßt, und alsdenn weggeht, so sehet dieses als einen Theil Eures Trinkgeldes an. Dieses ist in allen Häusern erlaubt, und Ihr thut dadurch Eurer Herrschaft nicht den geringsten Schaden.

Dienet Ihr bei einem Landedelmanne, so unterlasset niemals, wenn fremde Herren und Damen in Eurem Hause speisen, ihre Bedienten und besonders den Kutscher, zur Ehre Eures Herrn, betrunken zu machen. Ihr müsset auf diese Leute bei allen Euren Handlungen ganz besonders Rücksicht nehmen, weil sie die:

dieselben am besten beurtheilen können: denn die Ehre einer jeden Familie steht in den Händen der Köchin, des Kellners und des Stallknechts, wie ich hernachmals ausführlicher zeigen werde.

Putzet die Lichter bei der Abendmahlzeit, so wie sie auf dem Tische stehen. Dieses ist allezeit der sicherste Weg, denn sollte etwa die brennende Schnuppe aus der Lichtputze fallen; so könnt ihr ja immer noch vermuthen, daß sie in eine Schüssel mit Suppe, oder frische Milch und dergleichen fallen kann, worinne sie sogleich, ohne einen großen Gestank von sich zu geben, vollends verlöschen wird.

Wenn Ihr die Lichter geputzt habt, so lasset die Lichtputzen allezeit von einander stehen, denn die Schnuppe wird alsdenn von sich selbst zu Asche brennen, und kann auch nicht heraus fallen und das Tischtuch besudeln, wenn ihr die Lichter wieder putzt.

Damit das Salz recht glatt in dem Salzfasse liegen möge, so spuket ein wenig in die flache Hand und drücket es damit nieder.

Wenn ein Fremder nach der Mahlzeit mit Eurem Herrn weggeht, so vergesset nicht, Euch ihm in voller Person zu zeigen und ihn bis an die Thüre zu begleiten, und wenn Ihr Gelegenheit habt, so sehet ihm recht starr ins Gesichte, denn dieses kann Euch vielleicht zu einem Trinkgelde verhelfen. Ist aber der Fremde eine Nacht da geblieben, so holet die Köchin, die Hausmagd, den Stallknecht, den Küchenjungen und den Gärtner zu Eurer Begleitung, und laßt sie sich in den

Weg

Weg des Fremden an der Thüre in zwo Reihen einander gegenüber stellen, so daß er mitten hindurch gehen muß. Führet sich nun der Fremde gut auf, so wird er Ehre davon haben, und Eurem Herrn wird es nichts kosten.

Wenn Ihr bei Tische Brod abschneiden sollt, so habt Ihr nicht erst nöthig, das Messer abzuwischen; denn, durch das Abschneiden eines oder zweier Stücken, wird es von selbst rein werden.

Steckt den Finger in jede Bouteille, um zu fühlen, ob sie voll sei. Dieses ist das sicherste Mittel hinter die Wahrheit zu kommen. Wenn Ihr in den Keller geht, Bier herauf zu holen, so beobachtet allezeit folgende Methode. Haltet das Gefäß zwischen dem Zeigefinger und dem Daum rechter Hand, doch aber so, daß die flache Hand in die Höhe gerichtet ist, und das Licht haltet zwischen den andern Fingern, und zwar so, daß es an der Oefnung des Gefäßes ein wenig anliegt. Mit der linken Hand ziehet den Spund heraus, und steckt den untern Theil davon in den Mund. Die linke Hand aber behaltet frei, um sie, wenn irgend etwas anders dabei vorfiele, gebrauchen zu können. Wenn das Gefäß voll ist, so nehmet den mit Speichel wohl befeuchteten Spund wieder aus dem Munde, denn weil der Speichel allezeit etwas klebrig ist, so wird der Spund desto fester in dem Fasse stecken bleiben. Sollte ja etwas Talg in das Gefäß tröpfeln, so könnt Ihr es sehr leichte, (wenn ihr daran denkt,) mit einem Löffel oder mit dem Finger wieder heraus langen.

Schlies-

Schließet allezeit in die Kammer, wo Ihr Euer Porcellain aufhebt, eine Katze, damit sich nicht die Mäuse hinein schleichen und es zerbrechen.

Ein guter Kellner bricht aller zwei Tage die Spitze seines Korkziehers ab, um zu versuchen, ob dieselbe härter sei, als der Hals der Bouteille. In diesem Falle bedienet Euch, um den Mangel des Korkziehers zu ersetzen, und wenn der Stöpsel beschädiget worden ist, einer silbernen Gabel, und sind die Stücke des Stöpsels meistentheils heraus gezogen, so stecket den Hals der Bouteille so lange in den Schwenkkessel, bis er ganz rein ist.

Wenn ein Fremder oft bei Eurem Herrn speiset, und Euch beim Weggehen kein Trinkgeld giebt, so müsset Ihr allerlei Mittel anwenden, ihm Euer Mißvergnügen zu zeigen, und seinem Gedächtnisse zu Hülfe zu kommen suchen. Z. B. wenn er Brod oder etwas zu trinken verlangt, so thut, als wenn Ihr es nicht gehört hättet, oder schickt es an einen andern, der es erst nach ihm gefordert hat. Verlangt er Wein, so laßt ihn ein wenig warten, und dann schickt ihm dünnes Bier. Setzt ihm allezeit unausgespülte Gläser vor. Fordert er einen Löffel, so schickt ihm eine Gabel. Gebt dem Bedienten einen Wink, daß er ihm keinen andern Teller vorsetzt. Durch diese und ähnliche Mittel könnet Ihr, ehe er aus dem Hause geht, um ein Stück Geld reicher werden, wenn Ihr nur die Gelegenheit in Acht nehmt, beim Abschiednehmen gleich bei der Hand zu sein.

Ist Eure Frau eine große Freundin von Spielen, so ist Euer Glück auf immer gemacht. Ein mäßiges

C Spiel

Spiel muß Euch wöchentlich wenigstens einige Thaler einbringen. In einem solchen Hause wollte ich wirklich lieber Kellner, als Beichtvater oder gar Haushofmeister sein. Es ist immer baar Geld und wird leicht verdient; Eure Frau müßte denn etwa eine von denjenigen sein, welche von Euch verlangte, die Wachslichter dafür anzuschaffen, oder diese kleine Summe mit einigen andern Bedienten, welche gut bei ihr stünden, zu theilen. Es mag aber auch noch so schlimm gehen, so sind doch die Karten, mit welchen einmal gespielt worden ist, allemal Eure. Und wenn hoch gespielt wird, und die Spielenden verdrüßlich geworden sind, werden sie alle Augenblicke neue Karten verlangen, so daß Euch dieses eine ansehnliche Summe eintragen kann, wenn Ihr sie in einem kleinen Koffeehause oder an solche Leute verkauft, die sich nicht gut neue Karten kaufen können. Wenn Ihr beim Spiele aufwartet, so leget allezeit eine Menge neuer Karten vor die Spielenden hin. Diejenigen, welche unglücklich spielen, werden beständig neue nehmen, um ihr Glück zu verbessern, und bisweilen wird auch ein altes Spiel Karten mit unterlaufen können. Seid besonders dienstfertig, wenn bei Abende gespielt wird, und habt beständig einige Lichter bei der Hand, um der Gesellschaft hinaus zu leuchten, und haltet allezeit Eure Präsentirteller mit Wein bereit, um ihnen, sobald sie es verlangen, damit aufwarten zu können. Suchet es aber bei der Köchin dahin zu bringen, daß nicht zu Abend gespeiset werde, weil dadurch in Eures Herrn Haushaltung viel aufgehen wird, und das Abendessen Euch um einen beträchtlichen Theil Eurer Einkünfte bringen würde.

Zu-

Zunächst nach den Karten ist für Euch nichts so einträglich als die Bouteillen. An dieser schönen Accidenz habt Ihr weiter keine Theilnehmer als die Lakeien, welche sie oft zu stehlen und sich Bier dafür zu kaufen pflegen. Ihr seid aber kraft Eures Amts verbunden, allen solchen Mißbräuchen in Eures Herrn Haushaltung vorzubeugen. Der Lakei hat bei einer Hauptabfüllung keine Verantwortung in Ansehung der zerbrochenen Bouteillen. Die Anzahl derselben aber hängt ja ganz von Eurer Willkühr ab.

Der mit den Gläsern verbundene Vortheil ist so unbeträchtlich, daß er kaum einige Erwähnung verdient. Er besteht blos in einem kleinen Geschenk, das Euch der Glashändler macht, und in einigen Schillingen, welche Ihr für Eure Mühe und Eure Kenntnisse bei der Auswahl derselben mehr anrechnen könnet. Hat Euer Herr einen großen Vorrath von Gläsern, und Ihr und Eure Mitbedienten zerbrecht einige davon, ohne daß es Euer Herr weiß, so suchet es so lange zu verheimlichen, bis nicht mehr Gläser genug da sind, den Tisch damit zu besetzen. Alsdann erst sagt Eurem Herrn, daß keine Gläser mehr da sind.

Auf diese Weise wird er sich nur ein für allemal darüber ärgern, welches ihm viel gesünder sein wird, als wenn er sich die Woche ein oder zweimal darüber hätte ärgern müssen, und es ist ja die Pflicht eines guten Bedienten, seiner Herrschaft so selten, als möglich, Verdruß zu machen. Der Hund und die Katze können auch bei dieser Gelegenheit oft auch gute Dienste leisten, weil Ihr die Schuld auf sie schieben könnt. Merket noch wohl dabei, daß fehlende Bouteillen halb von herumstreichenden Personen und fremden Bedienten, und die andere Hälfte von ungefähr bei einer Hauptabfüllung zerbrochen worden sein können.

Wenn Ihr Eure Messer wetzet, so macht den Rücken davon eben so scharf, als die Schneide. Dieses hat den Vortheil, daß, wenn Jemand die eine Seite zu stumpf findet, er es mit der andern versuchen kann, und damit Ihr zeigt, daß Ihr Euch keine Mühe bei dieser Arbeit verdrießen lasset, so wetzet sie so lange, bis Ihr einen guten Theil des Eisens, und sogar den untern Theil des Grifs abgeputzt habt. Dieses verschaft Eurem Herrn eine gute Meinung von der Ordnungsliebe seiner Leute, und der Goldschmidt wird sich auch schon bei Gelegenheit gegen Euch erkenntlich dafür bezeigen.

Wird Eure Frau gewahr, daß das Bier nicht recht laufen will, so wird sie Euch ausschelten, daß Ihr vergessen habt, den Pflock in das Luftloch zu stecken. Dieses ist aber ein großer Irrthum, denn es ist ja leicht zu begreifen, daß der Pflock die Luft in dem Gefäße zurückhält, wodurch das Getränke verdorben wird; deswegen er also mit Recht herausgelassen werden muß. Besteht sie aber dennoch darauf, so müsset Ihr, um Euch die Mühe zu ersparen, das Luftloch täglich ein dutzendmal auf und zu zumachen, (welches für einen guten Bedienten eine abscheuliche Arbeit ist) den Zapfen in der Nacht halb herausziehen. Alsdann werdet Ihr mit einem kleinen Verluste von ohngefähr drei oder vier

Bou-

Bouteillen wahrnehmen, daß das Bier ungehindert laufen wird.

Wenn Ihr Eure Lichter zubereitet, so wickelt sie in ein Stück braun Pappier, und steckt sie damit auf den Leuchter; das Pappier muß aber bis an die Hälfte des Lichts reichen, weil dieses, zumal wenn Fremde kommen, recht schön aussieht.

Alles dieses müßt ihr im Finstern verrichten, um Eurem Herrn das Licht zu ersparen.

Zweites Kapitel.

Unterricht für die Köchin.

Ob mir gleich sehr wohl bekannt ist, daß es schon seit langen Zeiten bei vornehmen Leuten gewöhnlich gewesen ist, sich einen Koch, und gemeiniglich einen französischen zu halten, so werde ich mich doch, weil mein Buch hauptsächlich für den größten Theil der Edelleute in der Stadt und auf dem Lande eingerichtet ist, besonders an Euch, Jungfer Köchin, als an ein Frauenzimmer, in Ansehung meines Unterrichts wenden; ob schon das, was ich jezt sagen werde, für beide Geschlechter brauchbar sein kann. Euer Amt folget unmittelbar auf das vorhergehende, weil Euer Vortheil und der Vortheil des Kellners genau mit einander verbunden sind. Eure Sporteln sind einander ziemlich gleich, und müssen immer entrichtet werden, wenn die andern nichts bekommen. Ihr könnt des Nachts Eure Leckerbischen mit einander verzehren, wenn die andern im Hause schon zu Bette sind. Bei Euch allein steht es, einen jeden von Euren Mitbedienten Euch zum Freunde zu machen. Ihr könnt den kleinen Herren und Damen manchen guten Bissen zustecken, und Euch dadurch ihre Liebe und Zuneigung verschaffen. Ein Zank unter Euch ist Euch beiden gleich gefährlich, und pflegt sich gemeiniglich damit zu endigen, daß eins von Euch seinen Abschied bekommt, und nach einem solchen unglücklichen Zufall, wird es nicht allemal so leicht sein, mit jedem andern eine solche Vertraulichkeit wieder anzufangen. Ich fahre demnach fort, Jungfer Köchin, Euch meinen Unterricht zu ertheilen, und bitte Euch, einen von Euren Mitbedienten in dem Hause dahin zu vermögen, daß er Euch denselben allemal einen Abend in der Woche vor Schlafengehen vorlese, Ihr mögt nun in der Stadt oder auf dem Lande dienen; denn meine Lehren sind für beide Arten eingerichtet.

Sollte etwa Eure Frau bei der Abendmahlzeit vergessen haben, daß keine kalte Küche im Hause wäre, so seid ja nicht so dienstfertig, sie daran zu erinnern. Es ist ganz offenbar, daß sie selbige nicht nöthig gehabt hat. Wenn sie aber den andern Tag daran gedenken sollte, so sagt nur, sie hätte keinen Befehl darzu gegeben, und es wäre auch nichts mehr davon da. Um nun aber keine unnöthige Lüge zu machen, so verzehrt die, welche noch da ist, mit den Kellnern, oder mit einem andern guten Bekannten, ehe Ihr zu Bette geht.

Schicket

Schicket niemals bei der Abendmahlzeit ein übrig-gebliebenes Bein von einem Vogel hinauf, so lange noch eine Katze oder ein Hund im Hause ist, denen man Schuld geben kann, daß sie es weggefressen haben. Sollte aber keins von beiden da sein, so müsset Ihr die Schuld auf die Ratten oder auf einen fremden Hund schieben.

Es würde eine schlechte Haushaltung sein, wenn Ihr Eure groben Küchentücher mit Abwischung der Teller, die Ihr hinaufschickt, verunreinigen wolltet, das Tischtuch kann eben die Dienste verrichten, zumal wenn bei jeder Mahlzeit ein neugewaschnes aufgedeckt wird.

Machet Eure Bratenspiese niemals rein, wenn sie gebraucht worden sind, denn das von den Speisen darauf gebliebene Fett ist das beste Mittel gegen den Rost, und wenn Ihr sie hernachmals wieder gebrauchet, so wird dieses Fett die inwendige Seite des Bratens hübsch feuchte erhalten.

Dient Ihr bei einer reichen Herrschaft, so ist das Braten und Kochen allerdings unter der Würde Eures Amtes, und es macht Euch so gar Ehre, wenn Ihr nichts davon versteht. Ueberlasset daher diese Arbeit gänzlich der Küchenmagd, damit Ihr nicht die Ehre des Hauses, wo Ihr dient, verletzen möget.

Wenn Ihr auf den Markt geschickt werdet, so suchet Eure Speisen so wohlfeil, als möglich, einzukaufen; wenn Ihr aber Eure Rechnung eingebt, so vergesset ja nicht, die Ehre Eures Herrn zu behaupten,

 son-

sondern setzt allezeit die höchsten Preise an. Dieses ist außerdem auch gerecht und billig; denn es ist niemanden zuzumuthen, etwas um eben den Preis wieder zu verkaufen, für welchen er es eingekauft hat. Und ich stehe Euch auch dafür, daß es Euch nicht den geringsten Nachtheil bringen wird. Schwöret darauf, daß Ihr nicht mehr gegeben hättet, als was der Fleischer und der Hühnerhändler gefordert hätten. Wenn Euch Eure Frau befiehlt, einen Theil von der zugerichteten Speise zum Abendessen aufzuheben, so müßt Ihr das nicht etwa so verstehen, als ob Ihr alles aufheben solltet. Ihr könnet daher die Hälfte davon für Euch selbst und für den Kellner aufheben.

Gute Köchinnen können sich unmöglich bei dem, was man mit Recht Trödelarbeit nennt, aufhalten, weil viel Zeit dazu erfordert, und doch wenig damit ausgerichtet wird. Z. B. kleine Vögel zuzubereiten, wozu eine große Menge Küchengeräthe und einige kleine Nebenspiese gehören, und welches, im Vorbeigehen zu sagen, ganz unnöthig ist; denn es müßte sehr sonderbar sein, wenn ein Bratspies, welcher stark genug ist, einen Lendenbraten umzuwenden, nicht auch gebraucht werden könnte, eine Lerche damit umzudrehen. Sollte aber etwa Eure Frau sehr eigensinnig sein, und befürchten, daß ein so großer Spies die Lerche von einander reißen möchte, so leget sie ganz sauber in die Pfanne, welche unter dem Braten steht; denn das Fett, welches von dem Schöpsen- oder Rinderbraten auf die Vögel heruntertröpfelt, ist ja eben so gut, als wenn sie ordentlich am Spiese begossen würden, und über-

überdies wird auch dadurch viel Zeit und Butter erspart. Es ist auch keiner vernünftigen Köchin zuzumuthen, ihre Zeit mit Lerchenrupfen und dergleichen zu verschwenden. Wenn also die andern Mägde im Hause oder die Töchter Eurer Herrschaft Euch nicht helfen wollen, so braucht Ihr gar nicht viel Umstände damit zu machen, sondern senget sie entweder oder zieht ihnen die Haut ab; an der Haut geht überdies nicht viel verlohren, und das Fleisch bleibt immer dasselbe.

Wenn man Euch zum Einkaufen auf den Markt schickt, so laßt Euch nicht etwa von dem Fleischer mit einem Stücke Rindfleisch und einer Kanne Bier abspeisen, denn dieß wäre, wenn man es gewissenhaft betrachtet, ein offenbarer Betrug gegen Eure Herrschaft. Nehmet demnach diese Euch mit Recht gebührende Accidenz an baarem Gelde, wenn Ihr anders nicht bei dem Fleischer borgen müsset.

Da die Küchenblasebälge gemeiniglich nicht viel nütze sind, weil man in Ermangelung der Feuerzange oder Schaufel mehrentheils das Feuer mit der Spitze derselben anzuschüren pflegt, so holet den Blasebalg aus Eurer Frauen Schlafzimmer, denn dieser ist gemeiniglich der beste im ganzen Hause, weil er am wenigsten gebraucht wird. Solltet Ihr ihn aber etwa von ohngefähr beschädigen, oder Fett darauf tröpfeln lassen, so könnt Ihr Euch noch überdies die Hofnung machen, daß er Euch gänzlich zu Eurem Gebrauch überlassen werden wird.

Sorget dafür, daß Ihr allezeit einen Laufjungen bei der Hand habt, den Ihr wegschicken könnt, und

C 5 der

der bei garstiger Witterung für Euch zu Markte gehen kann. Ihr könnt dabei Eure Kleider schonen, und Euch bei Eurer Frau ein besseres Ansehn geben.

Wenn Eure Frau Euch das Bratenfett überläßt, so sorget zur Dankbarkeit für ihre Freigebigkeit dafür, daß Euer Essen gut gekocht und gebraten werde. Behält sie es aber für sich, so lasset ihr auch Gerechtigkeit wiederfahren, und ehe Ihr es an einem guten Feuer fehlen lasset, so suchet es immer mit dem herabtröpfelnden Fette und mit der geschmolzenen Butter zu unterhalten.

Schicket Eure Braten recht wohl mit Spiesen versehen herauf, damit sie recht rund und dicke aussehen, und wenn Ihr dann und wann eiserne Spiese am gehörigen Orte anbringen könnt, so werden sie sich noch schöner ausnehmen.

Habt Ihr ein langes Stück Fleisch zu braten, so sorget nur hauptsächlich für den mittelsten Theil desselben, und lasset die beiden äußern Theile roh. Diese können ein andermal gebraucht, und zugleich auch dadurch das Feuer erspart werden.

Wenn Ihr Eure Teller und Schüsseln scheuert, so bieget den Rand einwärts, damit Ihr desto mehr hineinlegen könnt.

Wird etwa zu Mittage einmal nur eine geringe Mahlzeit gehalten, oder speiset die Herrschaft außer dem Hause, so müsset Ihr ein großes Feuer in der Küche halten, damit die Nachbarn, welche den Rauch sehen, die gute Haushaltung Eurer Herrschaft loben können. Ist aber eine große Gesellschaft da, so geht

mit

mit den Kohlen so sparsam, als nur möglich, um, weil ein großer Theil der Speisen, wenn er halb roh geblieben ist, den andern Tag wieder gebraucht werden kann. Kochet Eure Speisen allezeit in hartem Wasser, weil Ihr nicht allezeit Flußwasser haben könnt; denn wenn Eure Frau sähe, daß das Essen nicht allezeit einerlei Farbe hätte, so könnte sie Euch, ohne daß Ihr es verdient hättet, deswegen ausschelten.

Wenn Ihr viel Geflügel in der Speisekammer habt, so lasset aus Mitleiden gegen die arme Katze, zumal wenn sie gut Mäuse fängt, die Thüre offen.

Ist es schlechterdings nothwendig, daß Ihr bei regnigter Witterung selbst auf den Markt gehen müßt, so ziehet die schlechtesten Kleider Eurer Frau an, um die Eurigen zu schonen.

Haltet Euch drei oder vier alte Weiber, die beständig in der Küche zu Euren Diensten sind, und diese könnet Ihr mit einer Kleinigkeit bezahlen, indem Ihr ihnen weiter nichts, als die übriggebliebenen oder halbverdorbenen Speisen, einige Kohlen, und alle Asche im ganzen Hause geben dürft.

Um zu verhindern, daß die Bedienten, die Euch in Eurer Arbeit stöhren könnten, nicht in die Küche kommen, lasset allezeit die Haspel an dem Bratenwender stecken, damit er ihnen auf den Kopf falle.

Sollte etwa ein Klumpen Ruß in die Suppe fallen, und Ihr könntet ihn nicht gut heraus bringen, so rühret sie nur recht um, denn dieses wird der Suppe einen feinen französischen Geschmack geben.

Sollte

Sollte Euch etwa Eure Butter schmelzen, so seid deswegen ganz unbesorgt, und schickt sie nur hinauf, denn geschmolzene Butter ist zum Eintitschen allezeit besser als ungeschmolzene.

Schabt den Boden Eurer Kessel oder Töpfe allezeit mit einem silbernen Löffel aus, damit sie keinen kupferigen Geschmack bekommen.

Wenn Ihr Butter zur Brühe hinauf schickt, so seid so sparsam und nehmet die Hälfte Wasser dazu, denn dieses ist viel gesünder.

Schmecket Eure zerlassene Butter nach Kupfer, so liegt die Schuld blos an Eurem Herrn, weil er Euch keine silberne Schüssel zur Brühe gegeben hat. Habt Ihr aber eine silberne, und die Butter schmeckt räucherich, so schiebet die Schuld auf die Kohlen.

Gebrauchet niemals einen Löffel zu solchen Sachen, die Ihr mit den Händen verrichten könnt, damit Eures Herrn silbernes Tafelservice sich nicht zu sehr abnutze.

Merket Ihr etwa, daß Ihr mit dem Mittagsessen nicht zu rechter Zeit fertig werden könnt, so stellt die Uhr zurück, und dann könnt Ihr mit der Minute fertig sein.

Lasset dann und wann eine glühende Kohle in die Bratenpfanne fallen, damit der Rauch von dem Fette in die Höhe steige, und der Braten dadurch einen gewissen Hautgout bekomme.

Eure Küche habt Ihr allezeit als Euer Putzzimmer anzusehen; Ihr dürft Euch aber die Hände nicht eher waschen,

waschen, als bis Ihr auf dem Abtritte gewesen seid, den Braten an den Spies gesteckt, das Geflügel zurechte gemacht, den Sallat gelesen, und auch schon das andere Gericht hinauf geschickt habt; denn Eure Hände würden durch die mancherlei Dinge, mit denen sie umgehen müssen, noch zehnmal schmutziger werden. Seid Ihr aber mit Eurer Arbeit fertig, so könnt Ihr Euch einmal für allemal waschen.

Es ist nur ein einziger Theil Eures Putzes, mit dem Ihr Euch, während daß Eure Speisen kochen oder braten, beschäftigen könnt, nämlich Euch zu kämmen. Ihr verliert dabei keine Zeit, weil Ihr an dem Heerde könnt stehen bleiben und mit der einen Hand immer mit arbeiten, indessen Ihr Euch mit der andern kämmt.

Sollten ja etwa einige Haare mit in das Essen fallen, so könnt Ihr ja die Schuld auf den Laquai schieben und sagen, daß er Euch vexirt hätte; denn diese Herren pflegen gewöhnlich bisweilen etwas boshaft zu sein, zumal wenn Ihr ihnen einen in die Bratpfanne eingetunkten Bissen oder ein Schnittchen vom Braten versaget. Noch mehr aber, wenn Ihr ihnen einen Kochlöffel voll heißer Suppe auf die Beine gießet, oder sie mit einem heimlich hinten angesteckten Tischtuch zu der Herrschaft hinausschickt.

Zum Braten und Kochen lasset Euch von der Küchenmagd keine andern als große Kohlen bringen. Die kleinen hebet auf zu dem Feuer, das oben in den Zimmern gebraucht wird. Die ersten sind zur Zubereitung der Speisen am besten, und sind sie alle, und ein Gerichte ist Euch etwa nicht gut gerathen, so könnt Ihr

Ihr die Schuld auf den Mangel an Kohlen schieben. Es würden auch überdies die Aschenweiber sehr schlecht von Eures Herrn Haushaltung reden, wenn sie nicht einen großen Vorrath von Asche, worinne noch ganz frische und große Kohlen sind, mit sich nehmen dürften. Auf diese Weise könnt Ihr Eure Speisen so zurichten, daß Ihr Ehre davon habt, und zugleich eine wohlthätige Handlung verrichtet, den guten Ruf Eures Herrn befördert, und Euch bisweilen für Eure Gutherzigkeit gegen die Aschenweiber einen guten Trunk Bier verschaffet.

Sobald das andere Gericht hinauf geschickt worden ist, so habt Ihr in einem großen Hause, bis wieder zum Abendessen, weiter nichts zu thun. Waschet Euch daher die Hände und das Gesicht, ziehet Eure guten Kleider an, und machet Euch mit Euren Bekannten bis neun oder zehn Uhr des Abends fein lustig — aber esset erstlich vorher.

Haltet allezeit mit dem Kellner die genaueste Freundschaft, denn es ist Eurer beiden Vortheil, in Friede und Einigkeit mit einander zu leben. Der Kellner bedarf öfters eines stärkenden Leckerbissens, und Ihr bedürft noch öfterer eines guten kühlenden Trunks. Gehet indessen sehr behutsam mit ihm um, denn bisweilen ist er ein sehr unbeständiger Liebhaber, weil er den großen Vortheil hat, die Mädchen mit einem Glas Sekt oder andern lieblichen Wein an sich locken zu können.

Bratet Ihr eine Kalbsbrust, so vergesset nicht, daß Euer Schatz, der Kellner, gerne ein Stückchen davon

von essen möchte. Schaffet es daher bis auf den Abend auf die Seite, und alsdenn könnt Ihr sagen, die Katze oder der Hund wären damit davon gelaufen, oder Ihr hättet gesehen, daß es verdorben oder von den Fliegen beschmeißet worden wäre. Die Kalbsbrust wird auch überdies auf der Tafel eben so gut ohne dieses Stückchen, als mit demselben aussehen.

Muß etwa die Gesellschaft lange auf das Essen warten, und Ihr habt die Speise zu lange kochen oder braten lassen, welches alsdenn gemeiniglich zu geschehen pflegt, so könnet Ihr mit Fug und Recht Eurer Frau die Schuld geben, die euch so sehr getrieben hat, das Essen hinauf zu schicken, daß Ihr gezwungen gewesen seid, es zu sehr gekocht oder gebraten hinauftragen zu lassen.

Wenn Euch Euer Essen fast bei jeder Schüssel nicht geräth, was könnt Ihr dafür? Ihr seid ja von den Laquaien, die in die Küche gekommen sind, vexirt worden, und um zu beweisen, daß dieses wahr sei, so suchet Gelegenheit, Euch mit ihnen zu entzweien, und gießet einem oder zweien einen Kochlöffel voll Brühe auf die Liverei. Ueberdies sind ja auch gewisse Tage in der Woche gar zu unglücklich, als der Freitag und unschuldigen Kindertag, und da ist es unmöglich, daß einem an einem solchen Tage etwas gerathen sollte. An diesen beiden Tagen also habt Ihr allezeit eine rechtmäßige Entschuldigung.

Wenn Ihr Eure Teller geschwind herunternehmen müßt, so fasset sie so an, daß ein Dutzend zugleich auf den

den Küchentisch herunter fallen, damit sie Euch gleich zur Hand sind.

Um Zeit und Mühe zu ersparen, schneidet die Aepfel und Zwiebeln mit einem und eben demselben Messer; denn Ihr müsset wissen, daß der Zwiebelgeschmack fast allen Personen von hohem Stande bei jeder Sache sehr angenehm ist.

Klebet drei oder vier Pfund Butter mit den Händen zusammen, und werfet den Klumpen an die Wand gerade über dem Küchentische, so daß Ihr sie gleich Stückweise wieder herunternehmen könnt, wenn Ihr sie braucht.

Habt Ihr etwa zur Bereitung der Brühen eine silberne Pfanne, so lasset es Euch zur Regel dienen, sie oft auf die Erde fallen zu lassen, und sie beständig schwarz zu erhalten. Dieses wird ausserordentlich zu Eures Herrn Ehre gereichen, denn man siehet daraus, daß bei ihm stets eine gute Haushaltung gewesen ist. Um sie immer schwarz zu erhalten, dürft Ihr nur allezeit, wenn Ihr sie auf den Heerd setzen wollet, die Kohlen damit fortschieben, u. s. w.

Hat man Euch einen großen silbernen Löffel zum Gebrauch mit in die Küche gegeben, so suchet die eine Seite davon durch das beständige Scharren und Umrühren mit demselben abzunutzen, und sagt dabei oft zum Scherz: Dieser Löffel ist meinem Herrn keinen Dienst schuldig geblieben.

Wenn Ihr Eurem Herrn des Morgens eine Rindfleischbrühe oder Wassersuppe, oder sonst dergleichen hin-
auf-

aufschickt, so vergesset ja nicht, mit dem Daumen und zween Fingern Salz auf den Rand der Schüsseln zu streuen, denn wolltet Ihr Euch eines Löffels oder einer Messerspitze dazu bedienen, so würdet Ihr Gefahr laufen, das Salz auf die Erde fallen zu lassen, und dies würde ein Zeichen eines Unglücks sein. Vergesset aber nur nicht, vorher Eure Finger rein abzulecken, ehe Ihr das Salz anrührt.

Drittes Kapitel.

Unterricht für den Laquai.

Da Euer Amt von einer ganz vermischten Art ist, so erstreckt sich dasselbe auf eine große Menge von ganz verschiedenen Verrichtungen, und Ihr habt dabei die schönste Gelegenheit, der Günstling Eures Herrn, Eurer Frau und auch der jungen Söhne und Töchter im Hause zu werden. Ihr seid der schöne Herr im Hause, in welchen sich alle Mädchen verlieben. Bisweilen seid Ihr das Muster Eures Herrn in Ansehung seiner Kleidung, und bisweilen ist er das Eurige. Ihr wartet in allen Gesellschaften bei Tische auf, und folglich habt Ihr Gelegenheit, die Welt zu sehen und sie kennen zu lernen, und mit Menschen und ihren Sitten genauer bekannt zu werden. Eure Einnahme ist zwar nicht eine von den besten, Ihr müßtet denn mit einem Geschenk an jemanden geschickt werden, oder auf dem Lande beim Thee aufwarten. Ihr werdet aber in der

Nachbarschaft Herr genannt, macht bisweilen ein großes Glück und schnappt wohl gar Eures Herrn Tochter weg. Ich habe auch verschiedene von Eurem Orden gekannt, die rechte gute Stellen bei der Armee bekommen haben. In der Stadt habt Ihr Euren eigenen Sitz in den Opern und Schauspielhäusern, und dadurch zugleich die schönste Gelegenheit witzige Köpfe und Kunstrichter zu werden. Ihr habt keinen offenbaren Feind, als den Pöbel und das Kammermädchen Eurer Frau, welche Euch bisweilen einen Kutschentreter zu nennen pflegen. Ich für meinen Theil habe eine wahre Hochachtung für Euer Amt, weil ich ehedem die Ehre hatte, selbst ein Mitglied Eures Ordens zu sein, aus welchem ich aber thörichter Weise getreten bin, und mich so weit erniedriget, daß ich eine Bedienung im Zollhause angenommen habe. — Damit Ihr aber, meine Mitbrüder, ein besseres Schicksal haben möget, so will ich Euch hier meine guten Lehren, welche die Früchte von vielem Nachdenken und Beobachtungen, nebst einer siebenjährigen Erfahrung sind, zu Eurem Besten mittheilen.

Um die Geheimnisse anderer Herrschaften von deren Bedienten zu erfahren, müsset Ihr ihnen die Geheimnisse Eurer eigenen erzählen. Auf diese Weise werdet Ihr Euch sowohl in Eurem Hause, als auch an andern Orten äußerst beliebt machen, und Euch zugleich ein wichtiges Ansehen verschaffen.

Lasset Euch nie auf der Straße mit einem Korbe oder einem Bündel in der Hand sehen, und traget ja nichts weg, als was Ihr in den Schubsack stecken könnt,

könnt, weil Ihr sonst Euren Stand äußerst beschimpfen würdet: Und nun aber diesem vorzubeugen, so haltet Euch beständig einen Laufjungen, der Euch Eure Sachen nachtragen muß, und könnet Ihr ihm kein Geld dafür geben, so speiset ihn mit einem tüchtigen Stück Brod oder mit einem Teller voll Essen ab.

Laßt Euch von einem Jungen zuerst Eure Schuhe putzen, damit Ihr Eure Stube nicht verunreiniget, und dann laßt ihm Eures Herrn Schuhe putzen. Einen solchen Jungen müsset Ihr Euch schlechterdings dazu und zum Verschicken halten, und ihn mit den übriggebliebenen Brocken der Speisen bezahlen.

Werdet Ihr in Geschäften Eures Herrn weggeschickt, so verrichtet zugleich einige von Euren eignen dabei. Geht zu Eurem Schätzchen, oder trinket mit einem Eurer Kammeraden einen Krug Bier; dadurch werdet Ihr außerordentlich viel Zeit gewinnen.

Es ist von jeher ein großer Streit unter Euren Zunftgenossen gewesen, wie Ihr auf die bequemste und zugleich auf die artigste Weise die Teller bei Tische halten sollt. Einige stecken sie zwischen die Stuhllehne, und dieses halte ich allerdings für eine der besten Methoden, wenn anders der Stuhl darnach gemacht ist. Andere hingegen halten aus Furcht, daß der Teller herunter fallen möchte, ihn so fest, daß sie ihre Daumen bis an die Mitte der hohlen Seite des Tellers ausstrecken, welches aber, wenn die Daumen trocken sind, gar kein sicheres Mittel ist. In einem solchen Fall rathe ich Euch daher, den Daum mit der Zunge anzufeuchten. Die abgeschmackte Gewohnheit, die

Rückseite des Tellers an die hohle Hand anzulehnen, welche einige Damen so sehr angepriesen haben, ist schon überall wieder ausgepfiffen worden, weil sie so vielen widrigen Zufällen unterworfen ist. Andere hingegen haben eine so starke Uebung in dieser Kunst erlangt, daß sie die Teller unter den linken Arm stecken, und dieses ist allerdings das beste Mittel, sie warm zu halten; es kann aber doch auch sehr leichte, wenn Ihr eine Schüssel wegnehmen sollt, ein Unglück daraus entstehen, weil die Teller einem von der Gesellschaft auf den Kopf fallen können. Ich gestehe es offenherzig, daß mir alle diese Arten nicht gefallen wollen, weil sie alle von mir versucht worden sind. Ich empfehle Euch daher die vierte Art, nämlich Eure Teller bis an den Rand, und zwar den Rand mit dazu an Eurer linken Seite zwischen dem Hemde und der Weste hineinzustecken; dieses wird sie wenigstens eben so warm halten, als wenn Ihr sie unter den Arm stecktet, und sie so vor den Augen der Gäste verbergen, daß sie Euch für etwas mehr als einen bloßen Bedienten, als welcher viel zu gut ist Teller zu halten, ansehen werden. Ihr werdet auch dadurch verhüten, daß sie nicht herunter fallen, und sie immer in einer solchen Lage bereit haben, daß Ihr sie den Augenblick ganz warm herausbringen, und jedem Gaste, der sie braucht, geben könnt. Es ist auch noch eine andere große Bequemlichkeit bei dieser Methode. Ihr könnt nämlich, wenn Ihr während der Zeit, daß Ihr hinterm Stuhle steht, einmal husten oder die Nase ausschneutzen müsset, sogleich den Teller herausziehen, und den hohlen Theil desselben ganz dicht vor den Mund oder die Nase

hal-

halten, und auf diese Weise verhüten, daß nichts von Euren Feuchtigkeiten in die Schüsseln oder auf den Kopfputz der Damen komme. Ihr sehet ja auch, daß sowohl Herren als Damen eben dieses bei dergleichen Gelegenheiten mit einem Hut oder Schnupftuch zu machen pflegen; ein Teller aber wird nicht so leicht dadurch verunreiniget, und kann auch eher wieder rein gemacht werden, als ein Schnupftuch oder ein Huth; denn wenn Euer Husten oder Euer Ausschneutzen vorbei ist, so dürft Ihr nur den Teller in die vorige Laage bringen, wo er dann beim Hineinstecken von Eurem Hemde wieder abgewischt werden wird.

Die größten Schüsseln müsset Ihr allezeit mit einer Hand abnehmen und aufsetzen, um den Damen die Stärke und Kraft Eures Rückens zu zeigen; thut dieses aber ja allezeit zwischen zwo Damen, damit, wenn Euch etwa die Schüssel entfallen sollte, die Suppe oder Brühe auf ihre Kleider fallen, und den Fußboden nicht beschmutzen möge. Durch diesen Kunstgrif, meine theuersten Freunde, haben zween meiner Mitbrüder ein großes Glück gemacht.

Bemüht Euch, alle neumodische Wörter, Flüche, Lieder und andere witzige Einfälle, die Ihr in Comödien und Opern gehört habt, auswendig zu lernen. Auf diese Weise werdet Ihr der Liebling von neun Damen unter zehen, und der Abscheu von neun und neunzig Stutzern unter hunderten werden.

Sehet zu, daß Ihr zu gewissen Zeiten, und besonders während der Mahlzeit, wenn Personen von Stande zugegen sind, alle zusammen aus dem Zimmer geht.

 Da-

Dadurch werdet Ihr Euch selbst von den Strapazen der Aufwartung ein wenig erholen, und zugleich der Gesellschaft Gelegenheit verschaffen, ganz ohne Zwang mit einander reden zu können.

Werdet Ihr wohin geschickt, um etwas mündlich auszurichten, so bringet es allezeit, und wenn es bei den allervornehmsten Personen wäre, in Euren eignen Worten vor, und nicht in den Worten Eures Herrn oder Eurer Frau. Denn wie können sie so gut wissen, was zur Bestellung eines Auftrags gehört, als Ihr, die Ihr zu dieser Beschäftigung auferzogen worden seid. Bringet aber die Antwort niemals eher zurück, als bis sie Euch abgefordert wird, und zwar eben auch in Euren eignen Ausdrücken.

Ist die Mahlzeit vorbei, so nehmet auf einmal eine große Menge Teller unter den Arm, und wenn Ihr an die erste Stufe der Treppe kommt, so laßt sie alle herunterkollern, denn es giebt gewiß keinen angenehmern Anblick oder Schall als diesen, zumal wenn es silberne Teller sind, der Mühe und Arbeit gar nicht zu gedenken, die Ihr Euch dadurch erspart. Sie werden auch alsdenn ganz nahe an der Küchenthüre liegen, wo sie mit der größten Bequemlichkeit von der Scheuermagd zum Abwaschen wieder aufgehoben werden können.

Bringt Ihr ein Essen in einer Schüssel hinauf, und es fällt Euch etwa, noch ehe Ihr in das Speisezimmer gekommen seid, aus der Hand, so daß das Essen und die Brühe auf die Erde läuft, so hebet das Essen fein säuberlich wieder auf, wischet es mit dem Rockzipfel ab, legt es wieder in die Schüssel und tragt es es auf den Tisch. Fragt nun Eure Frau etwa nach der Brühe, so dürft Ihr nur sagen, daß sie noch auf einem besondern Teller herauf gebracht werden wird.

Wenn Ihr ein Gericht auftraget, so tunket mit dem Finger in die Brühe, oder leckt mit der Zunge daran, um zu versuchen, ob sie auch gut sei, und sich für Eures Herrn Tafel schicke.

Ihr könnet am besten bestimmen, was Eure Frau für Bekanntschaften haben muß. Schickt sie Euch daher zu einer Familie, die Ihr nicht wohl leiden könnt, ein Kompliment oder sonst etwas an sie zu bestellen, so bringet die Antwort auf so eine Art wieder zurück, daß daraus eine unversöhnliche Feindschaft zwischen beiden entstehen muß: oder wenn ein Laquai von eben dieser Familie an die Eurige geschickt wird, so verdrehet die Antwort, die sie Euch zu geben befiehlt, auf solche Art, daß die andere Familie sie für eine große Beleidigung ansehen muß.

Seid Ihr an einem Orte, wo Ihr keinen Jungen haben könnet, der für Euch die Schuhe putzt, so putzt Eures Herrn Schuhe mit dem untersten Theil der Vorhänge, oder mit einer reinen Serviette, oder mit der Schürze Eurer Madam.

Habt allezeit Euren Huth im Hause auf dem Kopfe, ausser wenn Euch Euer Herr rufet; so bald als Ihr ihm vor die Augen kommt, so nehmt ihn geschwind ab, um ihm Eure feine Lebensart zu zeigen.

Scharret den Gassenkoth an Euren Schuhen nicht auf der vor der Thüre liegenden Matte, sondern an dem Eintritte oder unten an der Treppe ab. Dadurch werdet Ihr den Vortheil haben, daß man glauben wird, Ihr wäret schon eine Minute länger zu Hause gewesen, und die Matte wird auch nicht so sehr abgenutzt werden.

Bittet Eure Herrschaft niemals um die Erlaubniß auszugehen; denn auf diese Weise würde man es allezeit wissen, daß Ihr nicht da wäret, und Euch für einen faulen und herumlaufenden Kerl halten; wenn Ihr hingegen ausgehet und bemerkt es niemand, so könnet Ihr vielleicht wieder nach Hause kommen, ohne daß man Euch vermißt hat. Ihr habt auch nicht nöthig Euren Kammeraden zu sagen, wenn Ihr weggegangen seid, denn sie werden gewiß allezeit sprechen, daß Ihr noch vor einigen Minuten da gewesen wäret, welches auch die Pflicht eines jeden Bedienten ist.

Putzet die Lichter mit den Fingern, werfet die Schnuppe auf den Fußboden, und tretet sie alsdenn, um den Gestank zu verhüten, mit den Füßen aus, und um auch zugleich die Lichtputzen mehr zu schonen. Ihr müsset auch die Lichter so knapp als möglich abputzen, weil sie alsdenn mehr laufen, und folglich die Küchenaccidenzien der Köchin dadurch vermehret werden; denn die Köchin ist eine Person, mit welcher Ihr, nach den Regeln der Klugheit, allezeit in dem besten Vernehmen stehen müsset.

Während daß nach der Mahlzeit gebetet wird, so müsset Ihr und Eure Kammeraden die Stühle hinter den Tischgästen wegnehmen, damit sie, wenn sie sich wieder setzen wollen, auf die Erde fallen, dieses wird alsdenn der ganzen Gesellschaft einen herrlichen Spas

machen.

machen. Ihr müsset Euch aber hüten, nicht eher selbst darüber zu lachen, als bis Ihr in die Küche kommt, wo Ihr denn Euren Mitbedienten das schöne Stückchen erzählen könnet.

Wisset Ihr, daß Euer Herr sich mit einigen von der Gesellschaft etwa gar zu sehr beschäftiget, so geht hinein und thut, als wenn Ihr etwas in dem Zimmer auf die Seite setzen wolltet, und sollte er Euch etwa deswegen ausschelten, so saget nur, Ihr hättet geglaubt, daß geklingelt worden wäre. Dadurch werdet Ihr verhindern, daß Euer Herr sich nicht zu sehr in die Geschäfte vertieft, oder sich zu heftig im Reden angreift, oder seinen Verstand zu sehr anstrengt, weil alles dieses seiner Gesundheit ausserordentlich nachtheilig ist.

Befiehlt man Euch, die Scheere eines Krebses oder eines Hummers aufzumachen, so stecket dieselbe zwischen die Angeln der Thüre des Speisesaals: Auf diese Weise könnet Ihr es ganz allmählig thun, ohne Gefahr zu laufen, das inwendige Fleisch zu zerquetschen, welches sehr oft geschieht, wenn sie mit dem Hausschlüssel oder einer Mörselkeule aufgeschlagen werden.

Wenn Ihr einem von den Gästen einen unreinen Teller wegnehmet und sehet, daß das unreine Messer oder die Gabel darauf liegt, so habt Ihr hier Gelegenheit, Eure Geschicklichkeit zu zeigen; hebt nämlich den Teller auf, und werfet das Messer und die Gabel davon auf den Tisch, ohne zugleich die Knochen oder die übriggebliebenen Brocken von dem Essen mit herunter zu werfen. Der Gast, der mehr Zeit hat als Ihr, wird das Messer und die Gabel, welche er schon gebraucht hat, selber abwischen.

Bringt Ihr Jemanden ein Glas Bier oder Wein, das er gefordert hat, so stoßet ihm nicht an die Schulter, oder saget zu ihm, mein Herr, Madam, hier ist das Glas, denn das würde unhöflich sein und das Ansehen haben, als wenn Ihr es ihm mit Gewalt hineinzwingen wolltet, sondern stellet Euch an die rechte Seite der Person, die es verlangt hat, und wartet Eure Zeit ab. Stößet sie es Euch nun etwa aus Unachtsamkeit mit dem Ellenbogen aus der Hand, so ist es ihre Schuld, und nicht die Eurige.

Schickt Euch Eure Frau bei regnigter Witterung weg, um eine Miethkutsche zu holen, so kommt in der Kutsche zurückgefahren, um Eure Kleider und die Mühe des Gehens zu ersparen. Es ist besser, daß der untere Theil ihres Rockes von Euren kothigten Schuhen besudelt, als daß Eure Liverei verdorben werde, und Ihr Euch erkältet.

Nichts ist für einen Menschen von Eurem Stande so unanständig, als wenn er seinem Herrn auf der Straße mit einer Laterne leuchten muß. Es ist Euch daher völlig erlaubt, alle nur mögliche List zu gebrauchen, um davon loß zu kommen. Es zeigt auch noch überdies, daß Euer Herr entweder sehr arm oder geitzig sein muß, welches die beiden schlimmsten Eigenschaften sind, welche Ihr nur immer bei einer Herrschaft finden könnet. Als ich mich einst in diesen Umständen befand, bediente ich mich verschiedener klugausgedachter Hülfsmittel, welche ich Euch hiemit anpreisen

will.

will. Bisweilen steckte ich ein Licht in die Laterne, welches bis an den obern Theil derselben reichte, und sie verbrannte, mein Herr aber befahl mir, nachdem er mich mit einer tüchtigen Prügelsuppe traktirt hatte, die Spitze mit Pappier zuzukleben. Ich nahm darauf ein Licht, das halb so lang war, und steckte es so locker in die Tille, daß es an eine Seite anfiel, und den vierten Theil des Horns verbrannte. Hernach nahm ich ein Stückchen Licht, einer halben Spanne lang, welches ganz in die Tille hinein sank und das Lötwerk schmelzte, und mein Herr also genöthiget war, den halben Weg im Finstern nach Hause zu gehen. Das nächste mal befahl er mir, zwei Stückchen Licht von gleicher Länge dahin zu stecken, wo die Tille gewesen war, nun fieng ich an zu stolpern, und fiel der Länge lang hin, so daß das Licht auslöschte, und die ganze Laterne zerbrach. Nun sahe er es endlich ein, daß es nöthig war, sich aus Sparsamkeit einen eigenen Jungen zum Laternentragen zu halten.

Es ist sehr zu beklagen, daß die Herren unsrer Zunft nur zwei Hände haben, die Teller, Schüsseln, Bouteillen und Gläser u. dgl. aus dem Speisezimmer zu tragen, und dieses Unglück wird dadurch noch vermehrt, daß allezeit eine von diesen Händen erfordert wird, die Thüre aufzumachen, wenn man schon mit einer solchen Last beladen ist. Ich rathe Euch daher, die Thüre nur anzulehnen, damit Ihr sie mit dem Fuße nur aufstoßen dürfet; Ihr könnt Euch alsdenn vom Kinn bis zum Bauche mit Tellern und Schüsseln bepacken, und noch ausserdem eine große Menge anderer

Dinge

Dinge unter dem Arme mit fortschleppen. Und dieses wird Euch manchen sauren Tritt ersparen. Nehmet Euch aber in Acht, Eure Ladung nicht eher fallen zu lassen, als bis Ihr aus dem Zimmer, oder wenn es möglich ist, so weit weg seid, daß man Euch nicht hören kann.

Werdet Ihr an einem kalten regnigten Abend mit einem Brief auf die Post geschickt, so gehet in ein Bierhaus und trinkt daselbst so lange, bis man glauben kann, daß Ihr Euren Auftrag ausgerichtet habt. Bedient Euch aber hernach der ersten besten Gelegenheit, den Brief sorgfältig zu bestellen, wie es einem ehrlichen und ordentlichen Bedienten zukommt.

Sollt Ihr nach der Mahlzeit Koffee für die Damen kochen, und der Koffeetopf läuft etwa über, indessen daß Ihr hinaus gegangen seid, einen Löffel zum Umrühren zu holen, oder etwas anders im Kopfe habt, oder mit dem Kammermädchen schökert, so wischet den Topf rein mit einem Tischtuche ab, bringt Euren Koffee hinauf, und findet ihn etwa Eure Frau zu schwach, und fragt Euch, ob er übergelaufen sei, so läugnet es schlechterdings und schwört, Ihr hättet mehr Koffee als sonst hineingethan, Ihr wäret nicht einen Schritt davon weggegangen, Ihr hättet Euch noch überdies bemüht, ihn besser, als gewöhnlich, zu machen, weil Madam Koffeebesuch hätte, und die Bedienten in der Küche könnten es alle bezeugen. Alsdenn werdet Ihr sogleich hören, daß die andern Damen Euren Koffee sehr loben werden, und Eure Frau wird bekennen müssen, daß sie jezt keinen guten Geschmack habe, und wird ins

künf=

künftige sich selbst nicht recht mehr trauen, und folglich nicht mehr so voreilig mit ihrem Tadel sein. Ihr müsset auch dieses aus einem Antrieb des Gewissens thun, weil der Koffee sehr schädlich ist, und auch aus Liebe zu Eurer Frau müßt Ihr ihn so schwach, als möglich, machen. Wenn Ihr Lust habt eine von den Mägden mit einer Schaale guten Koffee zu traktiren, so könnt Ihr aus eben diesem Grunde den dritten Theil vom Koffee wegnehmen, um sowohl die Gesundheit Eurer Frau zu erhalten, als auch ihres Mädchens Gunst zu gewinnen. Schickt Euch Euer Herr zu einem seiner Freunde mit einem geringen Geschenk, so gehet damit so sorgfältig um, als wenn es ein brilliantener Ring wäre, und wenn das Geschenk auch nur in einem halben Mandel Aepfel bestünde, so lasset den Bedienten, welcher Euer Kompliment angenommen, seinem Herrn sagen, Ihr hättet Befehl, sie in eigner Person zu überliefern. Dadurch werdet Ihr Eure Liebe zur Ordnung und Eure Behutsamkeit zeigen, und zugleich allen widrigen Zufällen und Irrthümern vorbeugen, und der Herr oder die Dame wird Euch auch schon ein besseres Trinkgeld geben müssen. Bekommt aber Euer Herr ein solches Geschenk, so lasset den Ueberbringer desselben es eben so machen, und gebt Eurem Herrn einen Wink, wodurch seine Freigebigkeit gereizt werde, denn Bediente müssen sich als Brüder einander beistehen, und zumal da dieses alles zur Ehre ihrer Herrschaft gereicht, welches ein Hauptpunkt ist, den ein jeder gute Bediente genau beobachten muß, und wovon er auch allezeit am richtigsten urtheilen kann.

Wenn

Wenn Ihr Euch nur einige Häuser weit von dem Eurigen entfernt, um mit einem Mädchen zu schwatzen, oder in der Geschwindigkeit einen Krug Bier zu trinken, oder um einen von Euren Mitbrüdern am Galgen führen zu sehen, so lasset die Hausthüre unterdessen offen stehen, damit Ihr nicht anzuklopfen braucht, und Euer Herr nicht erfahre, daß Ihr weggegangen seid; denn eine viertel Stunde Abwesenheit kann Eurer Herrschaft keinen Schaden thun.

Wenn Ihr nach der Mahlzeit die übrigen Stücken Brod wegnehmet, so leget sie auf unreine Teller, und drücket sie mit andern Tellern, die Ihr drauf setzt, nieder, so daß sie kein Mensch anrühren mag, und auf diese Weise werdet Ihr Eurem Laufjungen seine gewöhnlichen Accidenzien vermehren können.

Müsset Ihr Eures Herrn Schuhe mit Euren eignen Händen putzen, so nehmet das schärfste Taschenmesser dazu, und wenn Ihr sie trocknet, so setzet sie mit den Spitzen ganz dichte ans Feuer, weil feuchte Schuhe sehr ungesund sind, und durch diesen Kunstgriff werdet Ihr sie Euch auch desto eher zu eigen machen können.

In einigen Familien geschieht es bisweilen, daß der Herr eine Bouteille Wein aus dem Weinhause holen läßt, und da seid Ihr denn der gewöhnliche Bothe. Ich rathe Euch daher, die kleinste Bouteille die Ihr nur finden könnet, dazu zu nehmen, dessen ohngeachtet aber lasset Euch von dem Küper das volle Maas geben. Dadurch werdet Ihr Euch selbst einen

guten

guten Trunk verschaffen, und Eure Bouteille wird doch voll werden. Um einen Kork für die Bouteille dürft Ihr Euch gar nicht bekümmern, denn Euer Daum oder ein Stückchen gekauetes schmuziges Pappier kann eben die Dienste verrichten.

Wenn die Sänftenträger und Kutscher etwa zu viel fordern, und Euer Herr Euch hinunter schickt, mit ihnen zu handeln, so müsset Ihr allezeit Mitleiden mit diesen armen Teufeln haben, und Eurem Herrn sagen, daß sie auch nicht einen Heller nachlassen wollten. Es ist Euch weit nützlicher, Euren Antheil an einem guten Krug Bier zu haben, als Eurem Herrn einen Schilling zu ersparen, für welchen dieses doch nur eine Kleinigkeit ist.

Begleitet Ihr einmal an einem sehr finstern Abend Eure Frau, wenn sie ausfährt, mit der Fackel, so gehet nicht neben der Kutsche her, weil Ihr Euch dadurch ermüden und beschmuzen würdet, sondern stellet Euch auf Euren gewöhnlichen Platz hintendrauf, und haltet die Fackel vorwärts über den Deckel der Kutsche herüber, und wenn die Fackel gepuzt werden muß, so dürfet Ihr nur an die Ecke der Kutsche damit anschlagen.

Habt Ihr Eure Frau Sonntags in die Kirche begleitet, so könnet Ihr wenigstens zwei volle Stunden mit Euren Kammeraden, in dem Bierhause oder in Eurem eignen, bei einem guten Stück Rindsbraten und einem frischen Trunke, in Gesellschaft der Köchin und der andern Mägde zubringen. Denn wahrhaftig die armen Bedienten haben so wenig Zeit und Gelegenheit,

sich

sich einmal eine vergnügte Stunde zu machen, daß sie keine Gelegenheit vorbei gehen lassen müssen.

Suchet Euch einen solchen Dienst aus, wo die Farben der Liverei nicht zu buntschäckig sind, und also nicht zu sehr in die Augen fallen. Grün und gelb verrathen den Augenblick Euren Stand, und dieses thun alle Arten von Schnüren, ausgenommen die silbernen nicht, welche Euch aber selten gegeben werden, es müßte denn bei einem Herzog, oder bei einem jungen Verschwender sein, der erst vor kurzem sein eigner Herr geworden wäre. Die besten Farben für Euch sind blau oder dunkelgelb mit Roth gefüttert; dadurch könnt Ihr Euch, nebst einem geborgten Degen, einer geborgten Miene, und Eures Herrn Wäsche und einer gewissen natürlichen Dreistigkeit, an allen Orten, wo Ihr nicht bekannt seid, einen Titel geben, was Ihr für einen wollet.

Tragt Ihr Schüsseln oder andere Sachen aus dem Speisezimmer, so nehmt Eure beiden Hände so voll, als nur möglich ist, denn wenn Ihr auch gleich darüber zuweilen etwas verschütten oder fallen lassen solltet, so werdet Ihr doch am Ende des Jahres finden, daß Ihr immer viel ausgerichtet und viel überflüßige Zeit erspart habt.

Geht Euer Herr oder Eure Frau aus, so haltet Euch immer an der einen Seite, und suchet, so viel nur möglich ist, in einer Linie mit ihnen zu gehen. Die Leute, welche dieses sehen, werden entweder denken, daß Ihr nicht zu ihnen gehört, oder daß Ihr ihres gleichen seid. Kehrt sich aber eins von ihnen um, und will Euch etwas sagen, so daß Ihr nothwenwendig den Hut abnehmen müsset, so brauchet dazu nur Euren Daumen und den einen Finger, und mit den andern kratzt Euch in den Kopf. Im Winter zündet das Feuer im Kamin des Speisezimmers erst einige Minuten vor Auftragung der Speisen an, damit Euer Herr sieht, wie sparsam Ihr mit den Kohlen umgeht.

Wenn Euch befohlen wird das Feuer anzuschüren, so kehret allezeit erst die Asche mit dem Feuerwedel weg.

Müsset Ihr um Mitternacht eine Kutsche bestellen, so geht nicht weiter als bis an die Hausthüre, weil man Euch sonst nicht zu finden wüßte, wenn man Eurer nöthig hätte; sondern bleibt an der Thüre stehen, und schreit, wenn es auch eine halbe Stunde dauren sollte: He! eine Kutsche, eine Kutsche!

Ob Ihr Herren von der Liverei gleich das Unglück habt, daß Euch fast jedermann spöttisch begegnet, so habt Ihr doch immer Ursache bei guter Laune zu seyn, und könnt oftmals ein ansehnliches Glück machen.

Ich war ein vertrauter Freund einer unsrer Mitbrüder, welcher bei einer Hofdame Laquai war. Sie hatte eine ansehnliche Stelle, war die Schwester eines Grafen und die Wittwe eines Mannes von Stande. Sie bemerkte so viel feines und angenehmes an meinem Freunde, und vornehmlich gefiel ihr der schlaue Anstand, mit welchem er vor ihrer Sänfte hergieng, und seine Haare unter den Hut steckte, so sehr, daß sie ihm viel wesentliche Gefälligkeiten erzeigte. Eines Tages

 fuhr

fuhr sie in ihrer Kutsche spatzieren, und Thomas stand hintendrauf. Der Kutscher verfehlte den Weg und hielt vor einer Kirche, in welcher denn dieses Paar vermählt wurde, und Thomas fuhr nunmehr in dem Wagen an der Seite seiner Gebieterin wieder nach Hause. Zum Unglück aber lehrte er ihr das Brandteweintrinken, wovon sie denn bald darauf starb, nachdem sie vorher ihr ganzes Silberzeug versetzt hatte, um Brandtewein dafür zu kaufen, und jetzt ist dieser Thomas bei einem Malzhändler Taglöhner geworden.

Boucher, der berühmte Spieler, war auch einer von unsrer Brüderschaft, und als er funfzig tausend Pfund zusammengespielt hatte, so mahnte er den Herzog von B** wegen rückständigen Lohns auf das unverschämteste: und so könnte ich noch viele andere zum Beispiele anführen, und besonders einen, dessen Sohn eine der ansehnlichsten Stellen bei Hofe hat. Ich will Euch aber nur noch diesen guten Rath geben, gegen jedweden grob und unverschämt zu sein, und besonders gegen den Hauskaplan, gegen die Kammerfrau, und gegen alle Bedienten in vornehmer Leute Häusern, die mehr sind als Ihr. Ihr müsset Euch aber auch darüber wegsetzen können, wenn man Euch dann und wann einen Tritt mit dem Fuße giebt, oder Euch mit dem spanischen Rohr bewillkommet, denn am Ende werdet Ihr doch noch die Früchte Eurer Unverschämtheit einärndten, und anstatt der Liverei bald eine Fahne zu tragen bekommen.

Steht Ihr bei der Mahlzeit hinter einem Stuhl, so spielet beständig mit den Händen an der Lehne desselben, den, damit die Person, hinter welcher Ihr steht, wissen kann, daß Ihr stets bereit seid ihr aufzuwarten.

Wenn Ihr porcellaine Teller hinunter tragt und mit denselben hinfallet, wie sich denn dergleichen Unglücksfälle öfters zuzutragen pflegen, so müßt Ihr zu Eurer Entschuldigung sagen: es wäre Euch ein Hund unterwegens zwischen die Beine gelaufen; das Kammermädchen hätte von ohngefähr die Thüre aufgemacht, und sie wäre Euch, eben da Ihr hättet hineintreten wollen, entgegengeschlagen; oder es hätte ein Besem an der Thüre gestanden, der auf Euch gefallen wäre; oder Euer Ermel wäre am Schlüssel oder am Dreher des Schlosses hangen geblieben.

Redet Euer Herr und Eure Frau in der Schlafkammer mit einander, und Ihr habt einigen Verdacht, daß ihr Gespräch Euch oder einen Eurer Mitbedienten betrifft, so horchet, zum gemeinen Besten des ganzen Gesindes, an der Thüre, und wendet alle mögliche Mittel an, jeder Neuerung, die Euch nachtheilig sein könnte, vorzubeugen.

Seid nie stolz im Unglück: Ihr habt gehört, daß sich das Glück wie ein Rad umdrehe. Habt Ihr einen guten Dienst, so sitzt Ihr oben auf dem Rade. Bedenket, wie oft Ihr die Liverei habt ausziehen müssen, wie oft Ihr mit den Füßen zur Thür hinausgestoßen worden seid, nachdem Ihr Euch Euren Lohn hattet vorausgeben lassen, und denselben auf geflickte Schuhe mit rothen Absätzen, auf schon getragene Peruquen, auf ausgebesserte genähete Halskrausen, und auf die Bezahlung einiger Rechnungen beim Bierwirth und

E 2 Brand-

Brandweinschenken verwendet habt. Der benachbarte Brandweinbrenner, der Euch sonst oft des Morgens winkte, um Euch mit einem wohlschmeckenden Bissen Kuhmaul zu regaliren, und nur das anschrieb, was Ihr vertrunken hattet, brachte, sobald Ihr in Verdruß von Eurem Herrn weggekommen waret, den Augenblick die Rechnung zu ihm, um sich selbige von Eurem Lohn bezahlen zu lassen, von welchem Ihr aber keinen Heller mehr zu fordern hattet, worauf Ihr denn von den Gerichtsdienern in jeden verborgenen Keller verfolgt wurdet. Bedenket ferner, wie bald Euer Rock schäbig und kahl wurde, und Eure Schuhe und Strümpfe zerrissen; wie Ihr Euch genöthigt sahet eine alte Liverei zu borgen, um Euch nur sehen lassen zu können, wenn Ihr einen andern Dienst suchtet; wie Ihr Euch in die Häuser schleichen mußtet, wo Ihr einen alten Bekannten hattet, der Euch verstohlner Weise einen Bissen Brod zusteckte, damit Ihr nur noch Leib und Seele zusammenhalten konntet; und wie Ihr Euch überhaupt in dem niedrigsten und bemitleidungswürdigsten Zustande des menschlichen Lebens befandet, welcher, wie das alte Lied sagt, der Zustand eines weggejagten Laquais ist. Denket, sage ich Euch, an alles dieses in Eurem blühenden Zustande. Entrichtet Eure Abgaben gebührender maaßen an Eure jüngern Brüder, die der weiten Gotteswelt überlassen sind. Nehmet einen von ihnen als Euren Gehülfen an, den Ihr in Geschäften Eurer Frau wegschicken könnet, wenn Ihr Lust habt unterdessen ins Bierhaus zu gehen. Steckt ihm dann und wann heimlich ein Stück Brod und einen Bissen Kaltes zu; Euer Herr kann dieses schon missen;

und

und hat er sich noch nicht so viel verdient, daß er ein Nachtlager bezahlen kann, so lasset ihn im Stalle, oder in der Wagenschuppe, oder unter der Hintertreppe liegen, und preiset ihn allen Herren, die in Euer Haus kommen, als einen vortrefflichen Bedienten an.

In dem Amte eines Laquais alt werden, ist das Unanständigste unter allen Dingen. Merket Ihr also, daß Eure Jahre zunehmen, und habt keine Hoffnung, eine Stelle am Hof oder bei der Armee zu erhalten, oder dem Haushofmeister in seinem Amte zu folgen, oder über die Einkünfte Eures Herrn gesetzt zu werden, (welche beiden letzten Stellen Ihr aber nicht ohne Schreiben und Lesen verwalten könnt) oder mit Eures Herrn Tochter oder Nichte davon zu laufen, so kann ich Euch keinen andern Rath geben, als auf die Landstraße zu gehen, denn dieses ist noch die einzige Ehrenstelle, welche Euch offen bleibt. Ihr werdet daselbst viele Eurer alten Kammeraden antreffen, und werdet ein zwar kurzes, aber doch lustiges Leben führen, und bei Eurem Ende noch dazu eine Figur machen, wobei ich Euch noch einige gute Lehren geben will.

Der letzte Rath, den ich Euch also hiermit ertheile, betrifft nämlich Euer Betragen in dem Augenblicke, wenn Ihr zum Galgen geführt werdet, denn dieser wird Euch, entweder wegen Bestehlung Eures Herrn, oder wegen eines nächtlichen Einbruchs, oder eines Straßenraubes, oder wegen eines in der Trunkenheit begangenen Mords wahrscheinlicher Weise zu Theil werden, und Ihr habt ihn einer von folgenden drei Hauptursachen beizumessen, nämlich der Liebe zu Euren

Kammeraden, einem hohen Grad von Großmuth, oder einer zu großen Lebhaftigkeit des Geistes. Euer kluges Betragen hiebei wird Eurer ganzen Brüderschaft zum Beispiel dienen: läugnet die That mit den feyerlichsten Verwünschungen. Hundert Eurer Mitbrüder werden, wenn man sie vorläßt, vor dem Gerichte fortwarten, und bereit sein, Euch vor demselben, wenn sie gefragt werden, ein gutes Zeugniß zu geben. Lasset Euch durch nichts zum Bekenntnisse bewegen, ausgenommen durch die Versprechung des Pardons, unter der Bedingung, daß Ihr Eure Mitgenossen angeben wollt. Allein alles dieses wird Euch doch am Ende nicht viel helfen, denn wenn Ihr auch einmal loß kommt, so werdet Ihr doch über lang oder über kurz dasselbe Schicksal wieder haben. Lasset Euch eine Rede von einem der besten Scribenten in Newgate verfertigen. Einige von Euren gutherzigen Mädchen werden Euch ein Hemde von holländischer Leinwand, nebst einer weissen Mütze mit einem rothen oder schwarzen Bande zum Geschenk machen. Nehmet von allen Euren Freunden in Newgate zärtlichen Abschied. Steiget mit Muth und Entschlossenheit auf den Karren. Fallet auf Eure Knie. Hebt Eure Hände in die Höhe. Nehmt ein Buch in die Hand, wenn Ihr auch gleich kein Wort lesen könnt. Läugnet die That noch unter dem Galgen. Küsset den Henker und vergebt ihm, und so fahrt wohl. Ihr werdet alsdenn in Pomp auf Kosten der Brüderschaft begraben werden. Die Wundärzte werden nicht eins von Euren Gliedern berühren dürfen, und Euer Nachruhm wird so lange dauern, bis ein eben so berühmter Nachfolger Eure Stelle betreten wird.

Vier-

Viertes Kapitel.

Verhaltungsregeln für den Kutscher.

Eure ganze Beschäftigung besteht in weiter nichts, als auf den Bock zu steigen, und Euren Herrn oder Eure Frau zu fahren.

Richtet Eure Pferde so ab, daß sie, wenn Ihr auf der Straße halten müßt, indessen daß Eure Frau einen Besuch ablegt, so lange stille stehen, bis Ihr in eine benachbarte Schenke gehen, und mit einem guten Freunde einen Krug Bier trinken könnt. Habt Ihr keine Lust zu fahren, so dürft Ihr nur sagen: die Pferde hätten sich erkältet, oder wären nicht beschlagen, der Regen thäte ihnen Schaden, und machte, daß ihre Haare rauh würden, und ruinirte das Geschirr. Eben dieses kann sich auch der Reitknecht zu Nutze machen.

Speiset Euer Herr bei einem guten Freunde auf dem Lande, so trinkt so viel, als man Euch nur geben will; denn es ist eine ausgemachte Sache, daß ein guter Kutscher niemals besser fährt, als wenn er besoffen ist. Zeiget aber alsdann Eure Geschicklichkeit, und fahret nur ein Haar-breit an einem Abgrunde vorbei, und sagt, daß Ihr nie besser fahren könnt, als wenn Ihr betrunken wäret. Merket Ihr, daß etwa ein anderer Herr eins von Euren Pferden gern haben möchte, und Euch noch ausser dem Preis des Pferdes ein Geschenk machen würde, so beredet Euren Herrn es zu verkaufen, und sagt ihm, daß Ihr Euch fast nicht mehr getrautet es einzuspannen, und daß es auch noch ausserdem übertrieben wäre.

Haltet Euch einen Jungen, welcher Sonntags an der Kirchthüre auf Eure Kutsche Achtung giebt, damit Ihr und die andern Kutscher, unterdessen daß Euer Herr und Eure Frau singen und beten, Euch mit einander im Bierhause ergötzen könnet.

Sorget dafür, daß Eure Räder immer in gutem Zustande sind, und lasset so oft, als nur möglich ist, neue machen, Ihr möget nun die alten als ein Accidenz bekommen oder nicht. In dem ersten Fall werdet Ihr einen rechtmäßigen Vortheil dabei haben, und in dem andern wird es eine gerechte Strafe für den Geiz Eures Herren sein, und der Wagner wird sich gewiß doch auch erkenntlich dafür gegen Euch beweisen.

Fünftes Kapitel.

Verhaltungsregeln für den Reitknecht.

Ihr seid ohnstreitig der Bediente, auf welchem die Sorge für die Ehre Eures Herrn auf allen seinen Reisen gänzlich beruht. Eure Brust ist das einzige Behältniß derselben. Reiset er zu Lande und kehrt in Wirthshäusern ein, so wird jeder Schluck Brandwein, jeder Krug Bier, den Ihr mehr als sonst trinket, seinen Ruhm erheben. Seine Ehre muß Euch daher am meisten am Herzen liegen, und ich hoffe, Ihr werdet es in keinem von beiden Fällen fehlen lassen. Der Schmidt, der Sattlergeselle, die Köchin im Wirthshause, der Hausknecht, der Stalljunge müssen alle an

Eures

Eures Herrn Freigebigkeit Theil nehmen. Auf diese Weise wird sein Ruhm von einer Grafschaft bis zur andern erschallen, und was kann übrigens ein Stübchen Bier oder ein Nösel Brandwein in dem Beutel Ihro Gnaden für einen Unterschied machen? Und sollte er auch unter die Zahl derer gehören, deren Geldbeutel ihnen mehr als ihr guter Name am Herzen liegt, so muß doch Eure Sorge für den erstern desto größer sein. Sein Pferd braucht zwei neue Eisen, das Eurige muß neue Nägel haben. Hat er Euch für Haber und Heu etwa mehr gegeben, als zur Reise erfordert wird, so könnt Ihr den dritten Theil davon nehmen und in Bier und Brandwein verwandeln. Auf diese Weise wird durch Eure kluge Einrichtung seine Ehre gerettet, und es macht ihm selbst weniger Kosten. Reiset kein Bedienter weiter mit, so könnt Ihr Eure Sachen desto besser mit dem Wirth bei der Rechnung machen.

Sobald Ihr also vor einem Wirthshause absteigt, so übergebt Eure Pferde dem Stalljungen, und laßt ihn damit nach dem nächsten Wasser galoppiren. Hierauf fordert einen Krug Bier, denn es ist ja die größte Billigkeit, daß ein Christenmensch eher trinkt als ein Vieh. Ueberlasset Euren Herrn dem Gesinde im Wirthshause, und Eure Pferde der Sorge der Stallbedienten, und so ist beiden geholfen. Für Euch aber müßt Ihr selbst sorgen. Lasset Euch etwas gutes zu Essen geben, trinkt nach Belieben, geht zu Bette, ohne Euren Herrn zu beunruhigen, der sich jetzt in weit bessern Händen als in den Eurigen befindet. Der Hausknecht ist ein ehrlicher Kerl, hält die Pferde werth wie

wie sein Auge im Kopfe, und würde ihnen um alles in der Welt willen nichts zu Leide thun.

Behandelt Euren Herrn so zärtlich wie möglich, und saget dem Gesinde im Hause, daß sie ihn nicht zu früh wecken. Nehmet Euer Frühstück zu Euch, ehe er aufgestanden ist, damit er nicht auf Euch warten darf. Bittet den Hausknecht, daß er ihm sage, der Weg sei ganz vortrefflich und die Meilen sehr kurz. Rathet ihm aber auch, ein wenig länger zu warten, bis sich der Himmel besser aufkläre, denn es könnte leicht anfangen zu regnen, und er würde ja nach der Mittagsmahlzeit noch Zeit genug haben seine Reise fortzusetzen.

Steiget nicht eher auf, als bis Euer Herr aufgestiegen ist, denn Ihr würdet sonst wider alle gute Lebensart handeln. Ist er im Begriff abzureisen, so lobt den Hausknecht so sehr als Ihr nur könnt, sagt ihm, wie viel Sorge er für die Pferde getragen habe, und daß Ihr nie höflichere Aufwärter gefunden hättet, als in diesem Hause. Lasset Euren Herrn immer vorausreiten, und wartet so lange, bis Euch der Wirth noch einen guten Schluck Brandwein gegeben hat, und alsdann galoppirt durch die Stadt oder das Dorf, so geschwind Ihr nur könnt, hinter ihm drein, denn er möchte vielleicht auf Euch warten, und Ihr könnt auch zugleich dabei Eure Kunst im Reiten zeigen.

Seid Ihr zugleich ein Stück von einem Pferdearzt, wie eigentlich ein jeder guter Reitknecht sein muß, so versorgt Euch mit Sekt, Brandwein oder starkem Biere, um die Füße Eurer Pferde alle Abende damit zu waschen, und geht ja nicht sparsam damit um; denn

wenn

wenn auch schon etwas davon für die Pferde gebraucht wird, so wißt Ihr doch am besten, was Ihr mit dem übriggebliebenen anzufangen habt.

Sorget für Eures Herrn Gesundheit, und sagt ihm, um ihn von langen Tagereisen abzuhalten, daß die Pferde schwach, und vom starken Reiten ganz abgefallen wären. Sprecht mit ihm von einem guten Gasthofe, der noch fünf Meilen näher ist, als er zu reisen Willens war; oder lasset eins von den Hufeisen seines Pferdes, welches losgegangen war, nicht gleich wieder anschlagen; oder macht, daß der Sattel dem Pferde in die Seite steche; oder gebt ihm die ganze Nacht und des Morgens keinen Hafer, so daß es auf dem Wege müde werde; oder treibt eine dünne eiserne Platte zwischen den Huf und das Eisen hinein, damit es bisweilen stehen bleibe, alles dieses aber müsset Ihr aus wahrer Zärtlichkeit für Euren Herrn thun.

Wenn Ihr Euch bei einem Herrn nach einem Dienst umthut, und er fragt Euch, ob Ihr Euch auch oft zu betrinken pflegtet, so sagt ihm frei heraus, daß Ihr ein Freund von einem guten Trunk Bier seid; es sei aber Eure Weise, Ihr möget nun betrunken oder nüchtern sein, Eure Pferde niemals zu vernachläßigen.

Fällt es Eurem Herrn ein auszureiten, um frische Luft zu schöpfen, oder sich sonst eine kleine Veränderung zu machen, und Ihr könnet wegen Eurer Privatangelegenheiten nicht wohl abkommen, so sagt ihm, daß die Pferde schlechterdings Ader lassen oder purgiren müßten, und daß sein eigen Reitpferd sich überfressen hätte; oder

der

der Sattel müßte wieder von neuem ausgestopft werden; oder der Zügel wäre zum Riemer getragen worden, um ihn ausbessern zu lassen. Alles dieses könnt Ihr unbeschadet Eures Gewissens thun, weil dadurch weder Eurem Herrn noch den Pferden ein Schade geschieht, und Ihr zeiget zugleich dabei, wie sehr Euch die armen unvernünftigen Thiere am Herzen liegen.

Ist ein besonderes Wirthshaus in der Stadt, wo Ihr mit Eurem Herrn hinreitet, und wo Ihr mit dem Hausknechte oder dem Wirthe wohl bekannt seid, und die Leute im Hause tadeln die andern Wirthshäuser, und preisen Eurem Herrn das ihrige an, so kann Euch dieses, wenn Ihr ihnen darinne behülflich seid, zu Eurem großen Vortheil und zu Eures Herrn Ehre ein paar Krüge Bier und ein paar Schlücke Brandwein mehr eintragen.

Schickt Euch Euer Herr aus Heu einzukaufen, so gehet nur zu solchen Leuten, die am freigebigsten gegen Euch sind. Denn da ein Dienst kein Erbgut ist, so würde es unbesonnen sein, wenn Ihr nur den geringsten rechtmäßigen und von Alters hergebrachten Vortheil fahren lassen wolltet. Kauft Euer Herr es selbst, so thut er Euch offenbar Unrecht; um ihn also seine Schuldigkeit zu lehren, so müsset Ihr beständig an dem Heu, so lange es dauert, etwas auszusetzen haben.

Wenn der Reitknecht mit Heu und Hafer wohl umzugehen weiß, so kann er sich dadurch vortrefflich mit Bier und Brandtewein versorgen. Ich erinnere dieses aber nur so beiläufig.

Spei=

Speiset Euer Herr bei einem Freunde auf dem Lande, und es ist kein Reitknecht da, oder ist ausgegangen und die Pferde sind gar nicht abgewartet worden, so lasset einen von den Bedienten im Hause Eurem Herrn das Pferd halten, wenn er aufsteigen will. Dieses müßt Ihr auch thun, wenn Euer Herr sich auch nur einige Minuten bei einem seiner Bekannten aufhält; denn die Bedienten müssen sich freundschaftlich gegen einander bezeigen, und es kommt ja auch selbst Eurer Herrn Ehre dabei ins Spiel, weil er doch allezeit dem, der ihm das Pferd hält, ein Trinkgeld geben muß.

Bei langen Reisen bittet Euren Herrn um Erlaubniß den Pferden Bier zu geben. Bringet zwei Kannen in den Stall, gießet ein halbes Nösel in eine Schaale, und wenn sie nicht trinken wollen, so müsset Ihr und der Hausknecht das Beste dabei thun. Vielleicht haben sie in dem nächsten Wirthshause mehr Lust zu trinken, denn Ihr müßt ja nicht vergessen diesen Versuch in jedem Wirthshause von neuem zu machen.

Wenn Ihr Eure Pferde ausreitet, damit sie frische Luft schöpfen, so übergebt sie einem Pferdejungen. Solche Jungen sind leichter als Ihr, und folglich können ihnen die Pferde viel eher zum Wettreiten anvertrauet werden. Diese müssen sie auch über Hecken und Graben setzen lehren, Ihr aber könnt unterdessen einen freundschaftlichen Krug Bier mit Euren Mitbrüdern ausleeren. Zuweilen könnt Ihr aber auch mit ihnen zur Ehre Eurer Pferde und Eurer Herren um die Wette reiten.

Gebt

Gebt Euren Pferden zu Hause niemals zu wenig Heu oder Hafer, sondern füllet die Krippe bis oben an. Es würde Euch selbst nicht wohlgefallen, wenn man Euch von Eurer Mahlzeit etwas abkneipen wollte, und haben Eure Pferde auch gleich nicht allemal Lust zu fressen, so müsset Ihr doch erwägen, daß ihre Zungen nicht dazu gemacht sind etwas zu fordern. Ist auch schon das Heu heruntergefallen, so ist doch kein Verlust dabei, denn es giebt eine gute Streu, und das Stroh wird dabei erspart.

Ist Euer Herr im Begriff von einem Freunde auf dem Lande Abschied zu nehmen, so seid ja allezeit auf seine Ehre bedacht; saget ihm, wie viel Bediente von beiderlei Geschlecht im Hause sind, die ein Trinkgeld erwarten, und gebt ihnen ein Zeichen, daß sie sich, so bald er aus dem Hause gehen will, in zwo Reihen stellen und ihn auf diese Weise erwarten. Bittet aber Euren Herrn, das Geld nicht dem Kellner anzuvertrauen, weil derselbe vielleicht die andern betrügen möchte; dadurch wird Euer Herr sich genöthiget sehen, desto freigebiger gegen sie zu sein. Ihr möget auch wohl Eurem Herrn gelegentlich sagen, daß dieser oder jener Herr, bei welchem Ihr zulezt gedient, so und so viel an das Gesinde gegeben hätte, und da könnt Ihr denn wenigstens noch einmal so viel angeben, als er sich vielleicht vorgenommen hat, zu geben. Vergesset aber auch nicht dem Gesinde zu sagen, was Ihr ihm für einen großen Dienst geleistet habt. Dieses wird Euch alsdenn Liebe und Hochachtung verschaffen, und Eurem Herrn große Ehre machen.

Ihr

Ihr könnt es ganz sicher wagen, Euch öfterer zu betrinken, als der Kutscher, er mag auch zu seiner Rechtfertigung vorbringen was er will; denn Ihr bringet ja Niemandes Hals in Gefahr, als den Eurigen, und das Pferd wird schon selbst so viel Sorge für sich tragen, daß es mit einer Verrenkung oder sonst mit einer solchen Kleinigkeit davon kommt.

Müsset Ihr Eures Herrn Oberrock auf der Reise mit auf Euer Pferd nehmen, so wickelt den Eurigen mit hinein, und schnüret sie mit einem Rieme fest zusammen. Kehret aber die inwendige Seite von Eures Herrn Rock auswärts, um die äußere vor Nässe und Koth zu verwahren. Fängt es nun jähling an zu regnen, so könnt Ihr Eurem Herrn seinen Rock gleich zuerst hingeben. Wird er auch dadurch etwas mehr beschädiget, als der Eurige, so ist ja der Schade für Euren Herrn nicht gar zu groß, und Eure Liverei muß ja allezeit ihr Probejahr aushalten.

Kommt Ihr in das Wirthshaus, und die Pferde sind nach einem scharfen Ritt naß, kothig und heiß geworden, so laßt sie den Hausknecht sogleich bis an die Bäuche ins Wasser führen, und gebt ihnen so viel zu trinken, als sie wollen. Vergesset aber auch nicht, sie in aller Eile wenigstens eine Stunde lang galoppiren zu lassen, damit sie wieder trocken werden und das Wasser in ihren Bäuchen warm wird. Der Hausknecht muß sein Handwerk verstehen, Ihr könnet daher alles seiner klugen Vorsorge überlassen, und unterdessen ganz ruhig beim Küchenfeuer einen Krug Bier und ein Glas Brandtewein trinken, um Euch wieder zu laben.

Ver-

Verliert Euer Pferd eins von den Vorderhufeisen, so steigt den Augenblick ab, und hebt es wieder auf. Reitet darauf, so geschwind Ihr nur könnet, mit dem Hufeisen in der Hand (damit jeder Reisende, der Euch begegnet, Eure Sorgfalt sehen möge) zu dem nächsten Schmidt, und lasset es den Augenblick wieder aufschlagen, damit Euer Herr nicht auf Euch warten, und das arme Pferd nur so kurze Zeit, als möglich, ohne Hufeisen sein möge.

Kehrt Euer Herr bei einem seiner Freunde ein, und Ihr findet, daß das Heu und der Hafer gut ist, so müsset Ihr dennoch laut darüber klagen. Dieses wird Euch den Namen eines fleißigen und aufmerksamen Dieners zuwege bringen. Gebt den Pferden, so lange Ihr da bleibt, so viel Hafer, als sie nur fressen wollen. Ihr könnet ihnen alsdenn einige Tage lang in den Wirthshäusern so viel weniger geben, und den Hafer in Bier verwandeln. Wenn Ihr aus dem Hause seid, so sagt Eurem Herrn, daß der fremde Herr, bei dem er eingekehret, ein rechter Filz gewesen wäre, denn er hätte Euch nichts als Buttermilch und Wasser zu trinken gegeben. Dieses wird Euren Herrn zum Mitleiden bewegen, so daß er Euch in dem nächsten Gasthofe einen Krug Bier mehr zu trinken erlauben wird.

Besaufet Ihr Euch aber einmal in eines Fremden Hause, so kann das Euer Herr nicht übel nehmen, denn das kostet ihm nichts, und dieses müßt Ihr ihm auch sagen, so gut als es in Eurem jetzigen Zustande erlaubt ist, und ihm zu Gemüthe führen, daß es sowohl zu seiner, als zu des fremden Herrn Ehre gereiche,

reiche, wenn der Bediente eines Freundes gut aufgenommen und gut bewirthet wird.

Der Herr muß seinen Reitknecht allezeit recht zärtlich lieben, ihm eine schöne Liverei und einen mit Silber besetzten Hut geben. Seid Ihr nun recht schön geputzt, so habt Ihr alle Ehrenbezeugungen, die Eurem Herrn unter Weges wiederfahren, Euch einzig und allein zuzuschreiben. Daß er nicht einem jeden Fuhrmann ausweichen muß, hat er der Höflichkeit zu verdanken, die er erst aus der zweiten Hand, und zwar von der Hochachtung erhält, die man für seine Liverei hat. Ihr könnet dann und wann Eures Herrn Reitpferd einem Eurer Nebenbedienten, oder Eurem Mädchen auf einen kurzen Ritt leihen, oder es auch wohl auf einen Tag vermiethen, weil das Pferd, aus Mangel an gehöriger Bewegung, leicht krank werden kann. Braucht nun aber etwa Euer Herr es selbst nöthig, und will in den Stall gehen, so flucht auf den vermaledeieten Kerl, den Hausknecht, daß er weggegangen ist, und den Schlüssel zum Stall mitgenommen hat.

Möchtet Ihr gern eine Stunde oder zwei mit Euren Kammeraden in einem Bierhause zubringen, und es fehlt Euch an einer hinreichenden Entschuldigung wegen Eurer Abwesenheit, so gehet zur Stall- oder Hinterthüre hinaus, und stecket einen alten Zaum, einen Gurt oder ein Steigbügelleder in Eure Tasche, und wenn Ihr wieder zurückkommt, so geht mit demselben Zaum, oder mit dem Gurt, oder dem Steigbügelleder zur gewöhnlichen Hausthüre hinein, alsdenn aber müßt

F Ihr

Ihr eins von diesen Dingen frei in der Hand tragen, als wenn Ihr vom Sattler oder vom Riemer kämet, der sie ausgebessert hätte. Seid Ihr aber nicht vermisset worden, so ist es desto besser. Begegnet Euch aber Euer Herr, so wird er Euch den Namen eines sorgfältigen und aufmerksamen Dieners beilegen. Ich weiß, daß alles dieses mit sehr gutem Erfolge ausgeübt worden ist.

Sechstes Kapitel.

Verhaltungsregeln für den Haushofmeister.

Der Haushofmeister des Lord Peterborough riß sein Haus nieder, verkaufte die Materialien davon, und überließ dem Lord die Sorge es wieder aufzubauen. Lasset Euch von den Pächtern Geld geben, daß Ihr in Ansehung der Abtragung ihres Pachtgeldes Nachsicht mit ihnen habt. Erneuert die Pachtkontrakte, und sucht Euch dadurch zu bereichern. Verkäufet Holzungen, leihet Eurem Herren sein eigen Geld. (Gilbas hat schon viel davon gesagt, und auf diesen beruf ich mich.)

Sie

Siebentes Kapitel.

Verhaltungsregeln für den Thürsteher.

Ist Euer Herr ein Staatsminister, so lasset ihn für keinen Menschen zu Hause sein, als für seinen Kuppler, seinen Hauptschmeichler, für einen seiner besoldeten Schriftsteller, für seinen gemietheten Spion und Zeitungsträger, für seinen gewöhnlichen Drucker, für seinen Advokaten, für seinen Erfinder neuer Fonds, oder für seinen Aktienhändler.

Achtes Kapitel.

Verhaltungsregeln für das Kammermädchen.

Die Beschaffenheit Eures Amtes unterscheidet sich nach dem Stand, nach dem Stolz oder nach dem Reichthum der Dame, bei welcher Ihr dienet. Da nun dieses Werk eigentlich für die Dienerschaft aller Familien eingerichtet sein soll, so halte ich es für gar nichts leichtes, die Beschäftigung zu bestimmen, wozu man Euch eigentlich gemiethet hat. Bei einer wohlhabenden Familie seid Ihr ganz von der Hausmagd verschieden, und in dieser Rücksicht ertheile ich Euch meinen Unterricht.

Der Hauptplatz Eurer Verrichtungen ist die Schlafkammer Eurer Dame, wo Ihr das Bette machen und alles in gehöriger Ordnung erhalten müsset.

Hält sich Eure Herrschaft auf dem Lande auf, so müsset Ihr die Zimmer besorgen, wo die fremden Damen schlafen, die Eure Herrschaft besuchen, und diese Besuche müssen Euch den größten Theil Eurer Accidenzien einbringen.

Euer gewöhnlicher Liebhaber ist, so viel als ich weiß, der Kutscher. Seid Ihr aber noch nicht zwanzig Jahr alt, und mehr schön als häßlich, so kann vielleicht auch ein Laquai sich in Euch verlieben.

Lasset Euch Euren Geliebten, den Laquai, das Bette Eurer Gebieterin machen helfen, und wenn Ihr bei einem noch jungen Ehepaar dienet, so könnt Ihr mit Eurem Geliebten, bei Wegnehmung der Betttücher, die schönsten Beobachtungen von der Welt anstellen; und diese Beobachtungen werden, wenn Ihr sie dem andern Gesinde, und auch wohl einem Theil der Nachbarschaft mittheilt, einen herrlichen Stoff zur Unterhaltung abgeben.

Traget die nothwendigen Nachtgeschirre nicht herunter, damit sie die Mannspersonen im Hause nicht sehen, sondern giesset sie, um des guten Namens Eurer Gebieterin willen, zum Fenster hinaus. Es schickt sich schlechterdings ganz und gar nicht für Bediente männlichen Geschlechts, zu wissen, daß schöne Damen dergleichen Geschirre nöthig haben. Scheuert auch ja den

den Kammertopf nicht aus, denn der Geruch davon ist ausserordentlich gesund.

Solltet Ihr von ohngefähr mit dem Besenstiel das Porcellain auf einer Kommode oder auf dem Kamin zerbrechen, so suchet die zerbrochenen Stücke auf, und setzet sie, so gut Ihr könnt, wieder zusammen, und stellet es hinter das andere. Wird es Eure Frau endlich einmal gewahr, so könnt Ihr ganz dreiste sagen, daß dieses schon lange vorher, ehe Ihr ins Haus gekommen wäret, zerbrochen worden sein müßte; auf diese Weise werdet Ihr Eurer Frau manche schöne Aergerniß ersparen.

Es geschieht bisweilen, daß ein Spiegel auf eben diese Art zerbrochen wird, zumal wenn Ihr bei Auskehrung des Zimmers die Augen wo anders habt, Ihr stosset vielleicht mit dem Besenstiel an das Glas, und zerbrecht es also in tausend kleine Stückchen. Dieses ist nun unstreitig das größte Unglück, das Euch begegnen kann, weil alle Mittel, es vor den Augen Eurer Herrschaft zu verbergen, vergeblich sind. Ein solcher unglücklicher Zufall ereignete sich auch einmal in einem großen Hause, wo ich die Ehre hatte Laquai zu sein. Um die List und den Erfindungsgeist des armen Kammermädchens bei einer so plötzlichen und fürchterlichen Begebenheit zu zeigen, will ich Euch die besondern Umstände davon erzählen, weil vielleicht Euer eigner Erfindungsgeist dadurch geschärft werden kann, im Fall Euch ein ähnliches Unglück begegnen sollte.

Das arme Kammermädchen hatte einen grossen Japanischen Spiegel von einem sehr hohen Werthe durch einen Stoß mit dem Besen zerbrochen. Ohne sich lange zu bedenken, schloß sie, vermöge eines ausserordentlichen Grades von Gegenwart des Geistes, die Thüre zu, schlich sich in den Hof, hob daselbst einen Stein von drei Pfunden auf, und legte ihn auf den Kaminheerd gerade unter dem Spiegel. Hierauf zerbrach sie die Scheibe eines Fensters, das im Hof hinausgieng, schloß die Thüre wieder zu, und gieng ihren andern Geschäften nach. Zwei Stunden darauf kam ihre Frau in das Zimmer, sah den zerbrochenen Spiegel, den darunter liegenden Stein und eine eingeschmissene Fensterscheibe. Aus allen diesen Umständen schloß sie, so wie das Mädchen gewünscht hatte, daß irgend ein Müssiggänger in der Nachbarschaft, oder vielleicht einer von ihren abgedankten Bedienten aus Bosheit, oder von ohngefähr den Stein hineingeworfen, und den Spiegel zerbrochen habe. Bis jetzt gieng nun alles recht gut, und das Mädchen glaubte nun ganz ausser aller Gefahr zu sein. Allein zu ihrem grossen Unglück führte der Henker einige Stunden darauf den Pfarrer des Kirchspiels her, und Madam erzählte ihm, wie man leicht denken kann, die ganze traurige Geschichte. Der Pfarrer, welcher etwas von der Mathematik verstand, untersuchte die Lage des Hofes, des Fensters und des Kamins, und überzeugte die Dame gar bald, daß der Stein den Spiegel schlechterdings nicht würde haben erreichen können, er hätte denn in seinem Fluge aus der Hand, welche ihn geworfen, drei verschiedene Wendungen nehmen müssen.

Es

Es fiel nunmehr der Madam auch wieder ein, daß das Mädchen denselben Morgen das Zimmer ausgekehrt habe. Sie wurde demnach auf das schärfste examinirt; sie betheuerte aber auf ihre Seligkeit, daß sie nichts davon wisse, und erbot sich sogar, in Gegenwart Ihro HochEhrwürden einen körperlichen Eid auf die Bibel abzulegen, daß sie so unschuldig wäre, wie das Kind im Mutterleibe. Dessen ohngeachtet aber wurde das arme Mädchen fortgejagt, welches ich in Ansehung ihrer so sinnreichen Erfindung allerdings für unbillig gehalten habe. Es kann Euch indessen diese kleine Geschichte zu einer guten Lehre in gleichen Fällen dienen, wo Ihr auch ein solches Histörchen, das aber besser mit einander zusammenhängen muß, erfinden könnet. Zum Beispiel Ihr könnt sagen, es wäre, als Ihr eben mit dem Besen abgekehrt hättet, ein so plötzlicher und heftiger Blitzstral zum Fenster hineingefahren, daß Ihr fast gänzlich davon geblendet worden wäret; Ihr hättet den Augenblick darauf ein Geklirre von zerbrochenem Glase auf dem Kaminheerd gehört, und sobald als Ihr wieder im Stande gewesen wäret die Augen aufzuthun, so hättet Ihr zu Eurem grossen Schrecken gesehen, daß der Spiegel in kleine Granatbischen zerbrochen gewesen wäre. Ihr könnt auch sagen, Ihr hättet das Glas, weil es etwas staubig ausgesehen, abwischen wollen, und da glaubtet Ihr, daß der Leim des Rahmens von der jetzigen feuchten Luft aufgelößt worden, und folglich, als Ihr denselben nur berührt, heruntergefallen wäre, und so etwas könnte ja dem Klügsten, und der Herrschaft wohl selbst begegnen. Ihr könnet aber auch, sobald als das Unglück geschehen ist, die Bänder, womit der Spiegel an der Wand befestiget ist, zerschneiden, und ihn so auf den Fußboden fallen lassen, und alsdann müsset Ihr ganz ausser Euch vor Schrecken zu Eurer Madam gelaufen kommen, ihr den schrecklichen Vorfall erzählen, und den Tapezirer bis in Abgrund der Hölle verfluchen. Ihr müßt auch dabei äussern, daß Ihr noch von großem Glück zu sagen hättet, daß Euch das Glas nicht auf den Kopf gefallen wäre. Mein innigster Wunsch, den Unschuldigen zu beschützen, macht, daß ich Euch diese Mittel mittheile, und unschuldig müßt Ihr ja schlechterdings sein, woferne Ihr nicht etwa das Glas mit Fleiß zerbrechet, welches ich aber auf keine Weise entschuldigen würde, man müßte Euch denn sehr zum Zorn gereizt haben.

Beschmieret die Feuerzange und Feuerschaufel über und über mit Oel, und zwar nicht nur um sie vor den Rost zu bewahren, sondern auch um zu verhüten, daß gar zu geschäftige Leute durch das Anschüren des Feuers Eures Herrn Kohlen nicht zu sehr vermindern.

Habt Ihr sehr viel zu thun, so kehrt den Unrath zusammen in einen Winkel des Zimmers, und lehnt den Besen drüber, damit es niemand sehe, weil Ihr sonst vielleicht Verdruß davon haben könntet.

Waschet Euch nicht eher die Hände, und bindet Euch keine reine Schürze vor, als bis Ihr Eurer Frau das Bette gemacht habt, damit Ihr die Schürze nicht zerknillen, und die Hände nicht wieder beschmuzen möget.

Wenn

Wenn Ihr Abends die Fensterladen in Eurer Frauen Schlafzimmer zumacht, so lasset die Fenster offen, damit frische Luft hineinkomme, und es des Morgens nicht so sehr nach Schweiß rieche.

Wenn Ihr die Fenster der frischen Luft wegen auflasset, so leget Bücher oder sonst etwas an die Fenster, damit sie dieselbe auch genießen.

Beym Auskehren Eurer Frauen Kammer haltet Euch nicht damit auf, die schmuzigen Hemden, Schnupftücher, Hauben, Nadelküssen, Theelöffel, Bänder, Pantoffeln, oder was Euch sonst im Wege liegt, aufzuheben, sondern kehret alles in einen Winkel zusammen, und alsdenn könnt Ihr alles auf einmal mit einander aufheben, und viel Zeit dabei ersparen.

Es ist eine saure Arbeit bei heissem Wetter die Betten zu machen, und man pflegt oft dabei zu schwitzen. Fühlt Ihr nun also, daß Euch die Schweißtropfen vom Gesicht herunterlaufen, so wischet sie mit einem Zipfel des Betttuchs ab, damit man sie nicht auf dem Bette sehe.

Befiehlt Euch Eure Frau ein porcellaines Geschirr auszuspülen, und Ihr lasset es aus der Hand fallen, daß es zerbricht, so bringt die Stücke davon wieder hinauf und schwöret, daß, als Ihrs kaum angerührt hättet, es in drei Stücken zersprungen wäre. Hiebei muß ich Euch und Euren Zunftgenossen zu gleicher Zeit die gute Lehre geben, bei jedem Vergehen eine Entschuldigung in Bereitschaft zu haben. Dieses thut Eurem Herrn keinen Schaden und vermindert doch Euren

Fehler. Z. B. in diesem Fall seid ihr nicht Schuld, daß das porcellainene Geschirr zerbrochen ist, Ihr thatet es gewiß nicht mit Fleiß, und es ist ja möglich, daß einem so etwas in der Hand zerbrechen kann.

Ziehet Eurer Frauen Hemden an, wenn sie sie ausgezogen hat. Ihr werdet dadurch die Eurigen schonen, und die Hemden werden deswegen nicht um ein Haar schlechter werden.

Wenn Ihr einen neugewaschenen Ueberzug über das Hauptküssen Eurer Frau ziehet, so stecket ihn mit drei starken Nadeln an, damit er sich nicht in der Nacht wieder herunter ziehe.

Wenn Ihr Brod und Butter zum Thee vorlegt, so schmieret alle Löcher im Brode voll Butter, damit das Brod bis zur Mittagsmahlzeit recht feuchte bleibe, und das Zeichen Eures Daumen lasset blos an dem Ende eines jeden Schnitchens zu sehen sein, um Eure Reinlichkeit dadurch zu zeigen.

Befiehlt man Euch eine Thüre, einen Schrank oder ein Kabinet auf- oder zuzuschließen, und Ihr habt nicht den rechten Schlüssel dazu, oder könnt ihn im Bunde unter den andern nicht heraus finden, so versuchet den ersten Schlüssel, den Ihr hineinbringen könnt, und drehet ihn mit aller nur möglichen Stärke so lange herum, bis entweder das Schloß aufgehet, oder der Schlüssel abbricht, denn Eure Frau würde Euch sonst gewiß für eine Thörin halten, wenn Ihr unverrichteter Sache wieder zurück kämet.

Neun-

Neuntes Kapitel.

Verhaltungsregeln für das Aufwartemädchen.

Zwei besondere Zufälle haben die sonst mit Eurem Amte verbundenen Vortheile um ein ansehnliches vermindert. Der erste ist die verdammte Gewohnheit unter den Damen, ihre abgelegten Kleider gegen Porcellain zu vertauschen, oder auch selbige zu zerschneiden, um Sophas, Stühle und dergleichen damit zu überziehen. Der zweite ist die schöne Erfindung der kleinen Kästchen und Schränkchen mit Schloß und Schlüssel, worinnen die Damen ihren Zucker und Thee verschliessen, ohne welche beiden Dinge ein Aufwartemädchen unmöglich leben kann, denn auf diese Weise sehet Ihr Euch genöthiget, Farinzucker zu kaufen und Wasser auf die Theeblätter zu giessen, wenn sie schon alle Kraft und allen Saft verloren haben. Gegen diese beiden Uebel habe ich bis jezt noch kein vollkommenes Mittel ausfindig machen können. In Ansehung des erstern, halte ich es für recht und billig, daß sich das ganze Gesinde bei allen Herrschaften zu ihrem gemeinen Besten verbinden sollte, diese Porcellaintrödler aus dem Hause zu jagen. Was aber das andere betrift, da weiß ich kein besseres Mittel, als Euch einen Nachschlüssel anzuschaffen, welches aber allerdings ein sehr schweres und gefährliches Unternehmen ist, ob man gleich gar nicht sagen kann, daß Ihr unehrlich dabei zu Werke giengt, denn Eure Frau giebt Euch ja dadurch, daß sie Euch einen Theil Eurer längst hergebrachten und rechtmäßigen Accidenzien entzieht, die gerechteste Ursache dazu.

Sie

Sie giebt Euch zwar dann und wann ohngefähr eine halbe Unze Thee, das ist aber so viel als gar nichts. Ich fürchte daher, Ihr würdet Euch genöthigt sehen, so wie Eure andern Mitschwestern, Euren Thee zu borgen, und ihn hernach von Eurem Lohn, so weit derselbe zureichen will, zu bezahlen; diesen Euren Schaden könnt Ihr aber sehr leicht auf eine andere Art beikommen, wenn Eure Frau schön und ihre Töchter viel Vermögen haben.

Dient Ihr in einem grossen Hause, so kann es vielleicht geschehen, daß Euer Herr ein Auge auf Euch wirft, wenn Ihr auch nur halb so schön als Eure Frau aussehet. Geschieht dieses, so müsset Ihr ihn, so viel wie möglich, zu rupfen suchen. Erlaubt ihm niemals die geringste Freiheit, und lasset Euch nicht einmal die Hand von ihm drücken, wenn er Euch nicht zugleich eine Guinee hineindrückt. Suchet es auf diese Weise nach und nach dahin zu bringen, daß er Euch für jeden neuen Angriff, den er auf Euch macht, immer doppelt bezahle, und setzet Euch allezeit dabei zur Wehre, und drohet, als wenn Ihr schreien, oder es Eurer Madam sagen wollet, wenn Ihr auch schon das Geld von ihm nehmt. Fünf Guineen für die Berührung Eures Busens ist fast noch zu wenig, wenn Ihr Euch auch gleich aus Leibeskräften dagegen sträubt. Erlaubet ihm aber niemals die lezte Gunst unter hundert Guineen, oder anstatt dieser ein gewisses jährliches Einkommen von zwanzig Pfund Sterling.

In einem solchen Hause werdet Ihr, wenn Ihr schön seid, fast allezeit unter drei Liebhabern die Wahl haben

haben können, nämlich dem Kappelan, dem Haushofmeister und Eures Herrn Laquaien. Ich wollte Euch
rathen, zuerst den Haushofmeister zu wählen, solltet Ihr
aber von Eurem Herrn schwanger werden, so müsset
Ihr Euch den Kappelan wählen. Der Laquai Eures
Herrn ist, meiner Meinung nach, der schlechteste von
diesen dreien, denn so bald er seine Liverei abgelegt hat,
pflegt er gemeiniglich aufgeblasen und übermüthig zu
werden, und erhält er nicht etwa eine Fahnjunker- oder
Zolleinnehmersstelle, so muß die Landstraße gewiß seine
letzte Zuflucht sein.

Vor allen muß ich Euch vor Eures Herrn ältesten
Sohn warnen. Wenn Ihr es recht anzufangen wisset,
so müßte es sonderlich zugehen, wenn Ihr es durch List
und Klugheit nicht so weit bringen wolltet, daß er Euch
verheirathen, und zu einer vornehmen Dame machen
müßte. Ist er ein ausschweifender junger Mensch, so
fliehet vor ihm wie vor dem Teufel, denn er fragt weniger nach seiner Mutter, als sein Vater nach seiner
Frau, und nach tausend schönen Versprechungen werdet
Ihr doch nichts als einen dicken Bauch, oder eine Lie-
beskrankheit, und vielleicht beides zusammen von ihm
zu erwarten haben.

Ist Eure Frau krank, und ist etwa nach einer un-
ruhigen Nacht des Morgens ein wenig eingeschlafen,
so dürft Ihr ja nicht, wenn ein Laquai kommt, der sich
im Namen seiner Herrschaft nach ihrem Befinden er-
kündigen will, denselben ohne Antwort von Eurer Frau
zurückschicken, sondern Ihr müsset sie ganz leise so lange
rüt-

rütteln, bis sie aufwacht, ihr alsdann das Compliment überbringen, ihre Antwort erwarten, und sie wieder einschlafen lassen.

Habt Ihr das Glück, bei einer jungen reichen Dame in Diensten zu sein, so müßtet Ihr es sehr verkehrt anfangen, wenn Ihr nicht dadurch, daß Ihr sie an Mann zu bringen sucht, wenigstens fünf bis sechs hundert Pfund verdienen wolltet. Führt ihr oft zu Gemüthe, daß sie reich genug sei, einen Mann glücklich zu machen; sagt ihr, es gäbe nirgends wahre Glückseligkeit, als in der Liebe; sie hätte ja die Freiheit, ganz nach ihrem Gefallen, und nicht nach dem Willen ihrer Eltern, die niemals eine unschuldige Liebe begünstigten, zu wählen; es befände sich eine Menge schöner, artiger und angenehmer junger Herren in der Stadt, welche mit Freuden zu ihren Füssen sterben würden; der Umgang zweier Liebenden wäre schon der Himmel auf Erden. Die Liebe mache eben so, wie der Tod, alle Stände gleich; wollte sie auch daher ihre Augen auf einen Jüngling werfen, der unter ihrem Stande wäre, so würde derselbe doch durch diese Heirath ein vornehmer Herr werden. Ihr hättet gestern auf einem Ball den schönsten Fähndrich auf der ganzen Welt gesehen, und wenn Ihr vierzig tausend Pfund hättet, so sollten sie ihm alle zu seinen Diensten stehn.

Suchet es überall bekannt zu machen, bei was für einer Dame Ihr dient, in welcher grossen Gunst Ihr bei ihr steht, und daß sie nichts ohne Euren Rath thut. Geht oft in St. James Park spatzieren. Die schönen jungen

jungen Herren werden Euch gar bald daselbst entdecken, und Euch ein Liebesbriefchen in Ermel oder im Busen hinein zu prakticiren suchen. Reisset es aber wüthend wieder heraus und werfet es auf die Erde, wenn Ihr nicht wenigstens zwei Guineen darinne findet. In diesem Fall aber thut, als wenn Ihr es gar nicht merktet, und als wenn der junge Herr sich nur ein wenig mit Euch hätte spaßen wollen. Kommt Ihr nach Hause, so laßt den Brief gleichsam unversehens in dem Zimmer Eurer Gebieterin fallen. Findet sie ihn und wird böse darüber, so schwöret hoch und theuer, daß Ihr nichts davon wüßtet, und sagt: Ihr erinnertet Euch blos, daß ein feiner junger Herr im Park Euch einen Kuß gegeben, ohne daß Ihr es hättet abwehren können, und da könnte es vielleicht geschehen sein, daß er Euch den Brief in den Rock oder in den Ermel gesteckt habe; setzet aber auch noch hinzu, daß es in der That die schönste Mannsperson gewesen wäre, die Ihr jemals gesehen hättet, sie könnte ja auch den Brief verbrennen, wenn sie wollte. Ist Eure Dame listig, so wird sie ein ander Papier in Eurer Gegenwart verbrennen, und den Brief alsdenn lesen, wenn Ihr hinausgegangen seid. Diesen Versuch müsset Ihr so oft wiederholen, als Ihr es mit Sicherheit thun könnt. Lasset allezeit denjenigen, der Euch Euer Briefporto am reichlichsten bezahlt, die schönste Mannsperson sein. Untersteht sich etwa ein Laquai einen Brief ins Haus zu bringen, welcher an Euch, um ihn Eurer Gebieterin zu überbringen, abgegeben werden soll, so werfet ihm denselben, wenn er auch von einem Eurer besten Kunden käme, an den Kopf. Nennet ihn einen Schur-

Schurken und einen unverschämten Schlingel, und schlagt ihm die Thüre vor der Nase zu, und lauft hinauf zu Eurer Dame und erzählt ihr, zum Beweis Eurer Treue, was Ihr gethan habt.

Ich könnte mich über diese Materie noch viel weitläuftiger auslassen, ich traue aber Eurer eignen Klugheit selbst hierinne genug zu.

Dient Ihr bei einer Dame, welche ein wenig zu Galanterieen geneigt ist, so wird es Euch nicht gar zu leicht werden, alles mit der gehörigen Klugheit einzufädeln. Drei Dinge sind hierzu besonders nothwendig. Erst müßt Ihr wissen, wie Ihr Euch am besten bei Eurer Dame beliebt machen, zweitens wie Ihr allem Verdacht bei ihrem Mann und bei dem Gesinde im Hause vorbeugen, und endlich, und zwar vornehmlich, wie Ihr Euren eignen Vortheil dabei am besten befördern könnt. Wollte ich Euch zur Ausführung dieser so wichtigen Angelegenheiten einen vollständigen Unterricht mittheilen, so würde mein Buch ziemlich stark werden. Alle Zusammenkünfte im Hause sind, sowohl für Eure Madam als für Euch selbst, äusserst gefährlich. Sehet daher zu, daß, wenn es möglich ist, diese Zusammenkünfte an einem dritten Ort gehalten werden, und zumal wenn Eure Dame, welches mehrentheils der Fall ist, mehr als einen Liebhaber hat, von welchen oft ein jeder eifersüchtiger ist als tausend Ehemänner zusammen. Es können auch überdies bei den besten Anstalten die unglücklichsten Zufälle entstehen.

Ich

Ich habe wohl nicht nöthig Euch zu erinnern, Eure Dienste besonders denen zu widmen, die am freigebigsten gegen Euch sind.

Sollte etwa Eure Madam sich in einen hübschen Laquai verlieben, so werdet Ihr auch großmüthig genug sein, Euch in ihren Willen zu schicken; denn es ist ja dieses eben nichts besonders, sondern entstehet aus einer ganz natürlichen Neigung. Es ist auch dieses immer noch einer der sichersten Liebeshändel im Hause. Ehedem hatte man nicht den geringsten Verdacht darauf, in den neuern Zeiten aber ist es ziemlich allgemein geworden. Die größte Gefahr dabei ist, daß diese Art Herren, weil sie immer mit schlechter Waare zu thun haben, bisweilen nicht gar zu gesund sind, und alsdenn sieht es für Euch und Eure Madam sehr schlecht aus, ob man gleich auch hier noch mit einigem guten Rathe zu Hülfe kommen kann.

Aber die Wahrheit zu sagen, so muß ich bekennen, daß es von mir ausserordentlich verwegen ist, Euch in der Führung der Liebeshändel Eurer Madam gute Lehren geben zu wollen, da doch Eure ganze Schwesterschaft eine so ausgebreitete Kenntniß nebst einer vieljährigen Erfahrung davon besitzt, ob es gleich mit mehrern Schwierigkeiten verbunden ist, als der Beistand, den meine Mitbrüder, die Laquaien, ihren Herren bei solchen Gelegenheiten zu leisten pflegen. Ich überlasse daher die ausführlichere Abhandlung dieser Materie einer geschicktern Feder, als die meinige ist.

Schließet Ihr ein seidnes Kleid, oder ein Toquet, oder sonst dergleichen in einen Schrank oder Kasten, so lasset ein Stückchen davon heraushängen, damit, wenn Ihr den Kasten wieder aufmacht, Ihr sogleich wissen könnt, wo Ihr es wieder finden sollet.

Zehntes Kapitel.

Verhaltungsregeln für die Hausmagd.

Gehet oder reiset Eure Herrschaft auf acht Tage oder auf längere Zeit aufs Land, so scheuert das Schlaf- oder Speisezimmer ja nicht eher, als eine Stunde vorher, wenn Ihr sie wieder zu Hause erwartet. Auf diese Weise werden die Zimmer zu ihrem Empfang ganz rein sein, und Ihr werdet dadurch die Mühe ersparen, sie bald nachher wieder zu scheuern.

Ich kann mich ausserordentlich über diejenigen Damen ärgern, welche so stolz und faul sind, daß sie sich nicht einmal die Mühe geben wollen, in den Garten zu gehen und eine Rose abzupflücken, sondern wohl gar selbst in ihrem Schlafzimmer, oder wenigstens in einem dunkeln daran stossenden Kabinet ein garstiges Hausgeräthe aufbewahren, dessen sie sich zu ihren unangenehmsten Nothwendigkeiten bedienen; und Ihr seid gemeiniglich dazu bestimmt, dieses Geschirr hinwegzutragen, wodurch nicht nur die Schlafkammer, sondern auch

auch alle darinnen befindliche Kleider einen häßlichen Geruch verbreiten, wenn man ihnen zu nahe kommt. Um Eure Damen von dieser häßlichen Gewohnheit abzubringen, will ich Euch, denen die Pflicht obliegt, dieses Geschirr hinwegzutragen, den wohlmeinenden Rath geben, daß Ihr solches allezeit öffentlich, die große Treppe, in Gegenwart der Laquaien, hinuntertragt, und wenn Jemand an die Hausthüre klopft, selbige sogleich eröffnet, wenn Ihr noch das volle Gefäß in Händen habt. Ich hoffe alsdenn gewiß, daß Eure Dame, wenn sie nur einiges Ehrgefühl hat, sich die Mühe nehmen wird, ihre werthe Person am gehörigen Orte auszuleeren, damit nicht ihre Unsauberkeit allen männlichen Bedienten im Hause vor Augen gelegt werde.

Verstecket ein Gefäß mit unreinem Wasser, worinne ein schmuziger Hader liegt, den Kohlenkorb, eine Bouteille, den Besen, den Kammertopf und andere solche Dinge, die man nicht gerne vor jedermanns Augen hinlegt, entweder an einen finstern Ort, oder auf den dunkelsten Theil einer Hintertreppe, damit sie nicht gesehen werden können, und sollten etwan die Leute drüber fallen, oder sich die Schienbeine beschinden, so ist es ihre eigne Schuld.

Giesset die Kammertöpfe niemals eher aus, als bis sie ganz voll sind; sollte dieses Abends oder in der Nacht geschehen, so giesset sie auf die Straße hinaus, geschieht es aber des Morgens, so giesset sie in den Garten; denn es würde Euch eine entsetzliche Arbeit machen, wenn Ihr bei jedem solchen Vorfall von den obersten Boden und Zimmern des Hauses bis in das Unterhaus steigen wolltet. Waschet diese Gefäße niemals mit anderm Wasser aus, als mit dem Eurigen. Welches reinliche Mädchen würde wohl auch gerne in andrer Leute Urin herummanschen? und überdies ist auch dieser Geruch, wie ich schon vorher bemerkt habe, ausserordentlich gut wider die Vapeurs, denen die meisten Damen unterworfen zu sein pflegen.

Kehret die Spinneweben mit einem nassen und kothigen Besen herunter, weil sie sich desto fester daran anhängen, und also desto leichter heruntergehen werden.

Wenn Ihr den Kaminheerd des Wohnzimmers des Morgens abkehret, so traget die von dem vorigen Abend zurückgebliebene Asche in einem Siebe herunter; was nun beim Heruntertragen hindurchfällt, wird sowohl im Zimmer als auf der Treppe anstatt des Sandes dienen können.

Habt Ihr das Messing und Eisengeräthe des Stubenkamins gescheuert, so leget den nassen und unreinen Scheuerlappen auf den nächsten Stuhl, damit Eure Frau sehen möge, daß Ihr Eure Arbeit nicht vernachlässiget habt. Eben diese Regel müsset Ihr auch bei Polirung der messingenen Schlösser beobachten, nur daß Ihr dabei nicht vergessen dürft, die Zeichen Eurer Finger an den Thüren zu lassen, damit Eure Herrschaft deutlich sehen möge, daß Ihr Eure Pflicht gethan habt.

Lasset Eurer Frauen Nachttopf den ganzen Tag im Kammerfenster stehen, damit ihn die Luft recht austrockne.

Brin-

Bringet keine als grosse Kohlen in den Speisesaal und in das Zimmer Eurer Frau; sie geben das beste Feuer, und sind sie gar zu groß, so könnt Ihr sie ja auf dem marmornen Kaminheerde klein machen.

Wenn Ihr Euch zu Bette legt, so geht ja sorgfältig mit dem Feuer um. Blaset daher das Licht aus und steckt es alsdenn unters Bette. Der Geruch von der Schnuppe ist sehr gut wider die bösen Dünste.

Ueberredet den Laquaien, der Euch geschwängert hat, daß er Euch, noch ehe Ihr völlig sechs Monate schwanger gewesen seid, heirathe; und fragt Euch Eure Frau, warum Ihr einen so schlechten Menschen heirathen wollt, so antwortet ihr, daß ein Dienst kein Erbgut sei.

Wenn Ihr das Bette Eurer Frau gemacht habt, so setzt den Kammertopf darunter, doch aber so, daß Ihr den Bettvorhang mit hinunter steckt, damit er desto besser in die Augen falle, und Eure Frau ihn sogleich, wenn sie ihn braucht, finden kann.

Schliesset eine Katze oder einen Hund in eine Stube oder in eine Kammer, damit sie einen solchen Lerm darinnen machen, den man im ganzen Hause hören kann, denn es können oft dadurch die Diebe, welche in Eurem Hause einbrechen wollen, verscheucht werden.

Scheuert Ihr gegen Abend eins von den Zimmern, die nicht weit von der Hausthüre sind, so giesset das unreine Wasser zur Hausthüre hinaus. Sehet aber nicht vor Euch hin, denn es möchten sonst die Vorübergehenden, welche von diesem Wasser begossen würden, Euch für unhöflich halten und wohl gar glauben, daß Ihr es mit Fleiß gethan hättet. Sollte nun aber der damit Begossene aus Rache die Fenster einschmeissen, und Eure Frau Euch deswegen ausschelten, und Euch ausdrücklich befehlen, das unreine Wasser allezeit an seinen gehörigen Ort zu tragen, so habt Ihr ein ganz leichtes Mittel, dieser Unbequemlichkeit abzuhelfen.

Habt Ihr ein Zimmer in den obern Stockwerken zu scheuern, so traget das Wasser herunter, lasset aber auf allen Treppen bis zur Küche hinunter etwas aus dem Fasse heraus laufen, dadurch werdet Ihr Euch nicht nur Eure Last erleichtern, sondern auch zugleich Eure Frau überzeugen, daß es besser ist, das Wasser aus dem Fenster zu giessen, als es die Treppe hinunter zu tragen. Ihr werdet ausserdem im Winter, wenn es gefroren hat, tausenderlei Spas dabei haben, wenn Ihr sehet, daß bald dieser, bald jener, der vor Eurem Hause vorbei gehet, auf die Nase fällt.

Wischet und poliret die marmornen Kaminheerde mit einem in Fett eingetunkten Lappen ab, denn ich wüßte sonst nichts in der Welt, das ihnen einen schönern Glanz gäbe, und die Damen werden sich schon in Acht nehmen, daß sie ihre Röcke nicht damit beflecken.

Ist Eure Frau so eigensinnig, daß sie ihre Zimmer mit einem viereckiggehauenen Stein gescheuert haben will, so lasset die Zeichen dieses Steins wenigstens sechs

Zoll

Zoll hoch an dem untersten Theil der tapezirten Wände sehen, damit sie völlig überzeugt werde, daß Ihr ihre Befehle pünktlich vollzogen habt.

Eilftes Kapitel.

Verhaltungsregeln für die Viehmagd.

Das Buttermachen ist ohnstreitig eine der beschwerlichsten Arbeiten. Giesset heisses Wasser in das Butterfaß, wenn es auch schon im Sommer ist, und machet die Butter ganz nahe beim Feuerheerde, und zwar von Rahm, der schon eine Woche alt ist. Den frischen Rahm aber hebt für Euren Schatz auf.

Zwölftes Kapjtel.

Verhaltungsregeln für das Kindermädchen.

Wird eins von den Kindern krank, so gebt ihm zu essen und zu trinken was es verlangt, wenn es auch schon der Arzt ausdrücklich verboten hat. Denn alles,

alles, wornach man sich in der Krankheit sehnt, ist gesund. Die Arzenei werfet zum Fenster hinaus. Das Kind wird Euch alsdenn noch einmal so sehr lieben als vorher. Verbietet es ihm aber ja, den Aeltern etwas davon zu sagen. Eben dieses müßt Ihr auch bei Eurer Frau thun, wenn sie krank ist, und sie zugleich versichern, daß es zu ihrer Gesundheit gereicht.

Kommt Eure Frau in die Kinderstube, und will etwa ein Kind mit der Ruthe züchtigen, so reisset es ihr wüthend aus der Hand, und sagt zu ihr, sie sei die grausamste Mutter, die Ihr jemals gesehen hättet. Sie wird Euch zwar anfangs deswegen ausschelten, aber auch nachher destomehr lieb gewinnen. Wenn die Kinder schreien wollen, so erzählet ihnen Gespenstergeschichtchen ꝛc.

Dreizehntes Kapitel.

Verhaltungsregeln für die Amme.

Laßt Ihr ein Kind fallen, und es verrenkt sich etwas, oder wird lahm, so müßt Ihr es schlechterdings leugnen, daß Ihr es habt fallen lassen. Stirbt es etwa hinterdrein, so seid Ihr aus aller Schuld.

Suchet,

Suchet, während daß ihr das Kind säuget, so bald wie möglich, wieder schwanger zu werden, damit, wenn etwa das Kind stirbt oder entwöhnt ist, Ihr gleich wieder einen andern Ammendienst antreten könnt.

Vierzehntes Kapitel.

Verhaltungsregeln für die Wäscherin.

Habt ihr eure Wäsche mit dem Platteisen versengt, so reibet den versengten Fleck mit Kalk oder Puder; wenn aber dieses nicht helfen will, so reibet oder waschet ihn so lange, bis man entweder nichts mehr davon sieht, oder bis ein Loch hineinreißt.

Hängt eure Wäsche auf die Leine oder an einen Zaun, und fängt es an zu regnen, so reißt sie geschwind herunter, solltet Ihr sie auch gleich darüber zerreissen. Der schicklichste Ort sie aufzuhängen, sind junge Fruchtbäume, und besonders wenn sie in der Blüthe stehen. Die Wäsche kann da nicht so leicht zerrissen werden, und bekommt ja gleich einen angenehmen Geruch.

Funfzehntes Kapitel.

Verhaltungsregeln für die Gouvernante.

Sagt, die Kinder hätten böse Augen, Jungfer Lischen wollte die Nase nicht ins Buch stecken u. s. w.

Lasset Euren Untergebenen französische und englische Histörchen, französische Romane und alle Komödien lesen, welche zu Zeiten Königs Karls II. und Königs Ludwigs geschrieben sind, um sie recht sanftmüthig und empfindsam zu machen.

H

Von der

guten Lebensart

oder

den feinen Sitten.

Lebensart, feine Sitten haben den Endzweck, andern unsern Umgang angenehm zu machen, und uns selbst zu vergnügen. Wer die wenigsten Personen in einer Gesellschaft misvergnügt macht, ist der wohlgezogenste. Und doch bringt das, was man in der Welt feine Sitten nennt, oft das Gegentheil hervor! —

So wie die besten Gesetze in der Vernunft gegründet sind, so müssen auch feine Sitten, und die Kunst der Lebensart darin gegründet seyn. Wie aber einige Rechtsgelehrte in die Gesetze viel unvernünftiges Zeug hineingebracht, so haben auch einige Lehrmeister in die feinen Sitten manches abgeschmackte hineingemischt.

Eine Hauptregel dieser Kunst besteht darin, daß man sein Betragen nach den drei verschiedenen Klassen der Menschen, derer die mehr, oder weniger als wir, oder uns gleich sind, einzurichten weis. Es ist z. B. wider die Lebensart, wenn man Leute von der erstern und letztern Klasse nöthigt, zu essen oder zu trinken. Gegen Leute von der geringern Klasse muß man das Nöthige nicht aus der Acht lassen, um ihnen nicht glaubend zu machen, sie wären uns unwillkommen.

Stolz, schlechtes Herz, und Begränztheit des Verstandes, sind die drei Quellen, aus denen der Mangel an Lebensmitteln entspringt. Wer nicht einen von diesen Fehlern hat, wird nur aus Mangel an Erfahrung gegen das verstoßen, was Thoren unter dem Worte Weltkenntniß verstehen.

Man wird schwerlich einen Fall anführen können, wo die Vernunft uns nicht lehrt, was wir in einer Gesellschaft zu sagen oder zu thun haben, wenn nicht Stolz oder schlechtes Herz uns daran hindern.

Verstand ist der Hauptgrund aller guten Lebensart. Weil aber Verstand eine Gabe ist, welche die wenigsten Menschen besitzen, so haben alle gesittete Nationen für das allgemeine Betragen gewisse Regeln festgesetzt, die sich zu ihren Gewohnheiten, Einbildungen und Launen am besten schicken, und die als eine Art des künstlichen Verstandes den Mangel des natürlichen ersetzen sollen. Ohne dies Mittel würden eine Menge Leute von Stande sich beständig in den Haaren liegen, welches selten zu fehlen pflegt, wenn sie betrunken sind, oder wegen Frauenzimmer, oder Spiel in Streit gerathen. Auch fällt, Gott sey Dank, nicht leicht ein Duell vor, wozu nicht einer von diesen drei Beweggründen Anlaß gegeben hat. Es sollte mir Leid thun, wenn man auf neue und strengere Maßregeln denken wollte, die Duelle zu verhüten, weil ein weiser

Mann ihnen auf vielerlei Weise ausweichen, oder auch auf eine unschuldige Art sich darin einlassen kann. Und ich kann es für kein Staatsübel halten, wenn man es zuläßt, daß Praler, Betrüger, Gaudiebe, und Taugenichtse durch ein eignes von ihnen selbst erfundnes Mittel sich der Welt entziehen, da die Gesetze nichts gegen die Menschen ausrichten konnten.

Wie nun aber die Gebräuche der guten Lebensart erfunden worden sind, um dem Betragen derer, welchen es an Verstande fehlt, zu einer Richtschnur zu dienen, so sind sie auch von denen, um derentwillen sie erfunden worden sind, verderbt worden. Diese Leute fallen nämlich dabei in eine Menge unnützer und zweckloser Zeremonien, die nicht nur ihnen selbst äusserst beschwerlich, sondern auch andern unerträglich sind. Indeß vernünftigern Leuten die Ueberhöflichkeit solcher feinen Menschen oft widriger ist, als die Gesellschaft grober Bauern und Handwerksleute.

Ich kenne eine Menge Leute von beiden Geschlechtern, welche allgemein für Leute von feiner Lebensart gehalten werden, aber eben durch ihre feinere Lebensart sich und andern lästig sind.

Das unschickliche eines solchen zeremoniösen Betragens sieht man nicht besser als an solchen Tischen, wo Damen den Vorsitz haben, die sich auf ihren guten Ton etwas einbilden. Will nun Jemand nicht so kühn seyn, das eingeführte Dekorum in einer solchen Familie zu brechen, so muß er sich gefaßt machen, eine Stunde lang zuzubringen, ohne das mindeste zu thun, was er sonst gern thun wollte, die Dame ist es, welche bestimmt, was und wie viel man essen soll. Und der Hausherr, wenn er von gleicher Zeremonie ist, schreibt auf die nämliche tyrannische Weise vor, was man trinken soll. Dagegen ist man genöthiget, tausend Lobeserhebungen der Gerichte und eben so viel Dankabstattungen für die Bewirthung zu machen. Ob nun gleich unter vielen Leuten diese Art von Tort allmählich abgekommen ist, so ist doch noch immer vorzüglich auf dem Lande und in den mittlern Städten sehr viel davon übrig. Neulich versicherte mir ein glaubwürdiger Mann, daß er wider seinen Willen vor einiger Zeit von einem seiner Vettern, bei dem er einen Besuch abstattete, vier Tage wäre aufgehalten worden: man habe ihm seine Stiefeln versteckt, den Stall verschlossen, und noch andre dergleichen Mittel angewendet.

„Ich war kaum,“ sagte mir mein Freund: „in die Stube getreten, so setzte man mich in einen großen Lehnstuhl, der dicht neben dem stark geheizten Kamin stand, und nöthigte mich da so lange sitzen zu bleiben, daß ich fast erstickt wäre. Alsdann flüsterte die gute Dame ihrer ältesten Tochter etwas ins Ohr, und schlüpfte ihr einen Schlüssel in die Hand, indeß eilends ein Bedienter herein kam, mir die Stiefeln auszuziehen. Es war vergeblich, daß ich mich dagegen setzte, und behauptete, ich müste Nachmittags schon wieder abreisen. Das gute Kind kam mit einem Glase aqua mirabilis und Gewürznelkensyrup zurück. Ich trank etwas, aber Madam betheuerte, ich müste es austrinken; denn es würde mir gut thun, wenn ich wieder in die freie Luft käme. Ich muste gehorchen, und verdarb mir allen Appetit, beim Mittagsessen wollte ich mich etwas von dem Kamin wegsetzen, aber jeder sagte mir, wenn ich mein Leben lieb hätte, so sollte ich mich mit meinem Rücken dicht ans Feuer setzen. Mein Appetit war zwar weg, doch nahm ich mir vor, so viel als nur möglich zu essen, und bat um den Flügel von einem jungen Huhn, aber man gab mir zwei, und so wurde mir von jedem Gerichte doppelt so viel, als ich essen konnte, vorgelegt. Ich bat um ein Glas Wasser, erhielt aber das stärkste Doppelbier. Einige Zeit nach dem Essen sagte ich dem Bedienten meines Vettern, der mit mir gekommen war, er möchte die Pferde bereit halten: aber ich sollte die Nacht dort bleiben, und da man sahe, daß ich darauf bestand, so wurde die Stallthüre zugeschlossen, und die Kinder versteckten meinen Mantel und Stiefel. Nun wurde gefragt, was ich Lust hätte, Abends zu essen. Ich sagte, ich wäre gar nicht gewohnt, Abends zu essen, wurde aber zuletzt gezwungen, um der Plagerei los zu werden, das erste das beste, was mir einfiel, zu nennen."

„Drei Stunden wurden mit Entschuldigungen zugebracht, daß sie mich nicht so, wie sie wünschten, bewirthen könnten, es sey nämlich jetzt die übelste Jahrszeit, Nahrungsmittel zu bekommen; der Markt sey so weit abgelegen; sie befürchten, ihre Gerichte würden mir nicht schmecken; ich wäre etwas bessers gewohnt u. s. w. — Die gute Frau gieng alsdann, und ließ mich in der Gesellschaft ihres Mannes, denn dafür trug man ganz besonders Sorge, daß ich nicht einen Augenblick allein seyn möchte. So bald sie fort war, liefen die kleinen Mädchen heraus und herein, machten jedesmal einen Knicks, den ich mit einem Bückling zu erwiedern und dabei immer zu wiederhohlen genöthigt war, Ihr gehorsamster Diener, liebes Mümchen. Mit dem Schlag acht Uhr erschien Madam wieder, und ihr rothes Gesicht verkündigte, daß das Abendessen nicht lange mehr ausbleiben würde. — Der Schüsseln waren noch einmal so viel als bei der Mittagsmahlzeit, und ich wurde demnach auch noch einmal so stark mit Nöthigen verfolgt.“

„Zu meiner gewohnten Stunde bat ich um Erlaubniß, mich niederzulegen, und ich wurde von Herrn, Frau und dem ganzen Zug Kinder bis ins Schlafzimmer begleitet. Sie drangen in mich, noch einmal zu trinken, ehe ich mich niederlegte, und als ich dies ausschlug, ließen sie mir eine Flasche Stingo, wie sie es nannten, zurück, wenn ich etwa des Nachts aufwachen und durstig werden sollte.“

„Am folgenden Morgen muste ich aufstehen und mich im Finstern anziehen, weil man dem Bedienten verboten hatte, mich so früh zu beunruhigen, und zu der ihm von mir befohlnen Stunde zu wecken. So dauerte es drei Tage. Nunmehr war ich fest entschlossen, mich loszureißen, setzte mich am letzten Morgen zu dem ungeheueren Frühstück von kaltem Rindfleisch, Schöpsenkeule, Rindszunge, Wilpretspastete, Mallaga, und nahm hierauf Abschied. Aber mein Gastgeber wollte mich noch eine Strecke begleiten, und mich über sein Gut führen, wodurch ich, wie er sagte, eine halbe Stunde Wegs ersparen würde. Diese letzte Höflichkeit wäre mir aber beinahe sehr theuer zu stehen gekommen, indem ich ein Paarmal in Gefahr stand, den Hals zu brechen, da ich über seine Graben setzen und sogar zuletzt im Schlamme absteigen muste, und das Pferd, da der Zügel losgieng, davon rann; wodurch wir eine Stunde aufgehalten wurden, ehe wir es wieder bekamen."

Es ist offenbar, daß alle diese Ungereimtheiten zwar aus der besten Absicht, aber aus einer übel verstandenen Gefälligkeit und unrechten Anwendung ihrer Vorschriften entstanden. — Weit weniger zu entschuldigen sind die, welche Meister in der feinen Lebensart seyn wollen, und sich mit weiter keinem Gegenstande beschäftigen, und doch in den wesentlichsten Stücken derselben fehlen. — Herr Modemann ist von Jugend auf am Hofe erzogen worden. Er macht den artigsten Hofdamen die Aufwartung, und sagte ihnen die hübschesten, niedlichsten Sachen von der Welt. Seinem Tanzmeister verdankt er die Fertigkeit, auf eine leichte Art sich zu verbeugen, und auf eine angenehme Weise ins Zimmer zu treten: aber in einigen andern Dingen entfernt er sich sehr von der guten Lebensart. Er lacht über Leute, die weit mehr Verstand haben, aber nicht so geputzt sind, als er; verachtet alle seine Bekannte, die er nicht für so vornehm hält als sich. —

Ich würde nicht zu Ende kommen, wenn ich die vielen possierlichen und lächerlichen Vorfälle erzählen wollte, die ich be so vielen zeremoniösen Leuten gesehen habe. Einmal sah ich, daß eine der ersten Damen von Stande, durch die Eilfertigkeit eines dienstfertigen Narren, der ihr die Mühe ersparen wollte, die Thür aufzumachen, umgerannt wurde. Ich erinnere mich, daß an einem hohen Geburtstage eine Hofdame bei der Tafel, da sie einer neben ihr sitzenden Person ein Kompliment machte, mit dem Ellbogen einen Pagen so an den Arm sties, daß er ihr eine Schüssel mit Brühe über den Kopf und übers Kleid goß.

Der holländische Gesandte Buys, dessen Staatsklugheit und Lebensart von gleichem Schlage waren, brachte seinen dreizehnjährigen Sohn mit zu einer großen Gasterei. Er und sein Sohn boten alles, was sie sich auf ihre Teller nahmen, jedem an, der in ihrer Nähe saß, daß wir während der Mahlzeit kaum eine Minute Ruhe hatten. Zuletzt begegneten sie sich mit zwei Tellern, und trafen so stark zusammen, daß die Teller in tausend Stücke zerbrachen, und die halbe Gesellschaft mit Gallert besudelten.

Es giebt eine Pedanterei in den Sitten, wie in allen Künsten und Wissenschaften, und selbst in den allergeringsten Geschäften. Pedanterei ist die Ueberwichtigkeit, die man einer jeden Art von Kenntniß, welche man besitzt, beilegt. Je geringer, unbedeutender, die Art der Kenntniß ist, desto größer ist die Pedanterei. Geiger, Tanzmeister, Heraldisten, Zeremonienmeister, sind daher weit größere Pedanten als Lipsius oder der ältere Skaliger. Mit solchen Arten von Pedanten war der Hof, so lange ich ihn kannte, noch sehr überschwemmt, und ist, so viel ich weis, noch nicht der Ort, wo man in dieser Hinsicht viel lernen kann, außer was den Putz anbetrifft.

Milord Bolingbroke erzählte mir einst, daß, als er den Prinzen Eugen bei seiner Ankunft in England in Empfang genommen, um ihn sogleich zu der Königin zu führen, der Prinz gesagt habe, es thue ihm leid, daß er der Königin noch nicht die Aufwartung machen könnte, denn Herr Hoffmann, ein alter kaiserlicher Resident, der eben bei ihm war, hatte ihm gesagt, er könnte in einer Knotenperücke vor der Königin nicht erscheinen. Nun wären aber seine Sachen noch nicht angekommen, und von seinem Gefolge hätte auch Niemand eine Allongenperücke bei sich, sonst würde er sich eine borgen. Der Lord machte einen Spaß daraus, und stellte dem Prinzen der Königin vor, weswegen er von der ganzen Zunft der Zeremonienmeister, von denen Hr. Hoffmann diesen wichtigen Punkt erfahren hatte, — das Wichtigste, das er binnen fünf und zwanzig Jahren seiner Residenzschaft gelernt hatte, — sehr getadelt wurde.

Ich mache zwischen Lebensart und guter Erziehung einen Unterschied, ob ich schon manchmal der Abwechselung wegen diese Ausdrücke mit einander vertausche. Jene ist im Grunde weiter nichts, als die Kunst gewisse auswendig gelernte Regeln und Gebräuche im äußerlichen Umgange anzuwenden. Gute Erziehung ist von weit größerem Umfange. Denn außer einem mehr als gewöhnlichen Grade von Gelehrsamkeit, der Jemanden fähig macht, ein Schauspiel oder politisches Blatt mit Verstand zu lesen, umfaßt sie noch einen weit größern Grad von Kenntnissen, als Fechten, Tanzen, Spielen, Reiten, französisch Reden,

Reisen, andere Fertigkeiten nicht zu rechnen, die man mit leichter Mühe erwerben kann, so daß der ganze Unterschied zwischen guter Erziehung und Lebensart darin besteht, daß die Kenntnisse, welche zur guten Erziehung gehören, auch selbst von den besten Köpfen nicht ohne Mühe und Arbeit erlernet werden können, dahingegen zur Lebensart nur ein sehr mäßiger Grad von Verstand ohne irgend sonst etwas erfordert wird.

Ich halte es in Ansehung dieses Punktes nicht für überflüßig, sondern vielmehr für das Beste, wenn ich einige besondere Fälle anführe, welche das wesentliche einer guten Lebensart betreffen, deren Versäumniß im Stande ist, das gute Vernehmen der Menschen zu stören, und welche in die meisten Gesellschaften einen Tausch von wechselseitigen Beschwerlichkeiten einführe.

Zu der guten Lebensart gehört erstlich, daß man in Ansehung eines Besuchs, oder Geschäftes, oder Vergnügens auf die gehörige Zeit so wohl in seinem Hause, als bei einem andern, oder an einem dritten Orte, genau Acht hat. Ob nun gleich diese Regel sehr einleuchtend ist, so wurde sie doch von einem der größten Minister *), den ich je habe kennen lernen, sehr übertreten, wodurch es denn kam, daß er sich alle Geschäfte verdoppelte, und mit seinen Arbeiten immer hinten nach blieb; daher ich denn auch oft im Scherz zu ihm sagte, es fehlte ihm an guter Lebensart.

*) Lord Harley.

Ich habe mehr als einen Gesandten und Staatssekretair gekannt, die nur eine sehr kleine Portion von Verstande hatten, aber ihre Geschäfte mit dem besten Erfolge und mit sehr vielem Beifall versahen, welches sie blos ihrer Pünktlichkeit und Ordnung in den Geschäften verdankten. Wenn man zum Dienst eines andern die Zeit gehörig beobachtet, so wird dadurch die Verbindlichkeit von seiner Seite verdoppelt, weil es nicht nur Thorheit, sondern auch Undankbarkeit seyn würde, wenn er nicht in Rücksicht unserer das nämliche thun würde; geht die Sache beide zugleich an, und man läßt unsres gleichen, oder solche, die unter uns sind, auf uns warten, so ist es Stolz und Ungerechtigkeit.

Formalitäten oder Gebräuche nicht kennen, kann, eigentlich zu reden, kein Mangel an guter Lebensart genennet werden, weil Formalitäten öftern Veränderungen unterworfen sind, ihren Grund nicht in der Vernunft haben, und also auch von den Weisen nicht geachtet werden. Außerdem sind sie auch in jedem Lande verschieden, und dauren oft in demselben Lande nur eine kurze Zeit. Daß also ein Reisender sie anfangs unmöglich wissen kann, und wenn er wieder zurück in sein Vaterland kommt, ist er vielleicht in seinem eignen Vaterlande ein Fremder. Ueberhaupt aber sind es Sachen, die man leichter vergißt, als Namen und Gesichter.

Von dem vielen abgeschmackten Zeuge, welches viele junge seichte Laffen aus der Fremde mit nach Hause bringen, ist die Formalitätensucht eine der vorzüglichsten und herrschendsten. Sie betrachten diese Dinge nicht nur als solche, bei denen eine Auswahl statt findet, sondern auch als Dinge von Wichtigkeit, und suchen daher bei allen Gelegenheiten die neuen Moden und Gebräuche, die sie mitgebracht haben, überall einzuführen und fortzupflanzen, so daß man überhaupt wohl sagen kann, ein junger von einer Reise zurückkommender Herr sey der übelgezogendste der ganzen Gesellschaft.

Inhalt.
